Y0-ABA-062

Goosebumps™

鸡皮疙瘩

系列丛书

JINGHUN JIE JINGHUN · MIANJU DUO HUN Ⅱ

惊魂街惊魂 ● 面具夺魂 Ⅱ

[美] R.L.斯坦 著 叶芊 译

目 录

致中国读者……………R.L.斯坦 001
智者的心灵历险（序一）……………金波 003
斯坦大叔，请摘下你脸上那副吓人的面具（序二）……………彭懿 007

惊魂街惊魂

1 两个胆小鬼……………003
2 影迷“双胞胎”……………007
3 神奇老爸……………012
4 惊魂街电影世界……………016
5 两个人的乐园……………021
6 电车旅程……………028
7 疯狂电车……………035
8 怪兽影星……………041
9 虫子很冷！……………045
10 蜘蛛成灾……………049
11 电车罢工了！……………057
12 螳螂在行动……………061
13 逃出“虫”围……………066
14 古墓探险……………070
15 墓地惊魂……………077
16 僵尸出击……………082
17 泥潭很危险……………086
18 狼人救命！……………090

19 愤怒的狼人……………094
20 开枪！开枪！……………097
21 狼人的追杀……………100
22 骷髅电车……………104
23 可怕的骷髅……………108
24 重返惊魂街……………110
25 人？机器人？……………116
26 电击小屋……………120
27 爸爸帮帮我……………122
28 我是机器……………124

面具夺魂Ⅱ

1 公猪队的恶魔……………129
2 复仇，我要复仇！……………136
3 嘉丽的头呢？……………141
4 吓人的面具……………146
5 派对玩具店……………153
6 面具，我来了……………159
7 地下室盗贼……………163
8 面具到手了！……………168
9 捉贼捉赃……………172
10 携宝潜逃……………178
11 丑陋的面具……………182
12 万圣节，我来了！……………187
13 万圣节派对……………190
14 初戴面具……………195
15 逼真的面具……………198
16 面具的底边呢？……………201
17 向嘉丽求助……………206

18 原来是场梦……………211
19 我的计划……………215
20 吓唬公猪行动……………218
21 天哪！我真是老了！……………224
22 嘉丽，救我！……………230
23 爱的标志……………232
24 救命的饼干……………237
25 “火花”等于“爱”……………242
26 回到玩具店……………245
27 蜘蛛服……………249
28 难兄难弟……………252

“鸡皮疙瘩”预告

冰湖惊梦（精彩片段）……………257
红魔肉团（精彩片段）……………263

欢迎来到“鸡皮疙瘩”俱乐部

神探赛斯与魔神之岛1……………272

致中国读者

中国的读者朋友们，你们好！

听说大家很喜欢我的书，我很开心。

我觉得，要让孩子们认识到他们可以到书里去寻找乐趣，这一点非常重要，并且，我还要让他们接触到惊悚的内容，但同时又有安全感。在这些惊悚的场景里我加入了一些幽默元素，这样小朋友们在开怀大笑的同时又有一点点紧张。

很多小朋友觉得交朋友是件很难的事儿，总是奇怪为什么别的小朋友在这方面好像更加轻松容易。对于腼腆的小朋友们，我的建议就是找到你喜欢做的事儿——不管是写作啦，还是运动啦，或者是玩游戏啦，等等。

做这些事儿，会带来两个益处。首先，你可能会遇到别的和你有同样兴趣的小朋友。其次，如果你真的对什么

感兴趣，那么你谈论起来时就会轻松自如。

我从来就没停止过和孩子们的交流，我认为重要的是要让孩子们去寻找自己的方式。我提倡小朋友们多读书，找到自己感兴趣的可以轻松自如地谈论的内容。

我认为家长和老师倾听孩子的声音非常重要。有些孩子愿意和父母交流自己的感受，但有些却不愿意。有的时候他们虽然在说一些看似无关紧要的事情，但对于他们自己来说却很重要。

我希望有机会能来中国，见见大家，参观一下这个充满魅力的国度。我很喜欢龙，我一定会好好构思一个关于龙的精彩故事。

到北京看看是我心驰神往的事情。我住在纽约市的中心，但我可以打赌，北京肯定会让人感觉更大——哪怕是对于像我一样习惯了纽约的人来说也是如此。

智者的心灵历险（序一）

首都师范大学教授　著名儿童文学作家、诗人

国际安徒生奖提名奖获得者　**金　波**

人当少年时，智慧大增，却更加渴望心灵历险，愿意体验一下“恐怖”的刺激。那感觉，让我想起坐上“过山车”的游戏，惊险中嗷嗷的呼叫声不绝于耳，既是恐怖的，又是愉悦的。

现在提供给广大读者的这套“鸡皮疙瘩系列丛书”，当你阅读的时候，就像搭乘一次心灵历险的“过山车”。

少年心理的健康发展，需要一个磨砺过程，生活阅历中的挫折，情感体验中的悲喜，精神世界中的追求，都是人生不可缺少的历程。

心理上的“恐怖”也是一种体验，它可以给予我们胆识、睿智、想象力。

这套“鸡皮疙瘩系列丛书”，在美国颇受少年儿童的青睐，甚至让那些不爱读书的孩子，也耽读不倦，爱不释

手。因此，1999年，这套丛书曾以27种文字版本出版，全球销售两亿多册，作者R.L.斯坦被评为当年最受欢迎的儿童文学作家。

是的，阅读“鸡皮疙瘩系列丛书”，与我们通常阅读小说、童话以及科幻故事相比较，颇有异趣。书中斑驳陆离的情境，浩瀚恣肆的想象，直抉心灵的震颤，蔚成奇观，参配天地。

阅读“鸡皮疙瘩系列丛书”，感受心灵探险，好奇心得到充分的满足，获得充分的自由、畅快。在想象的世界中，可以我行我素，或走马古老荒原，邂逅精灵小怪，或穿越沼泽湿地，目睹青磷鬼火，或瞻谒古宅废园，发现千古幽灵，尽情享受一番超越现实、脱俗出尘的惊险和快乐。

这里有冥茫混沌中创造出的另一个世界，这个世界中所发生的故事，虽属怪诞，甚至可怖，虽是对不真实或不存在的事物纯乎幻想与游戏性的艺术再现，但它又与我们的现实生活息息相通，就如同发生在我们身边的事情，让你相信那诸多的神灵鬼怪，其实都是摄取于现实生活中实有的人物。

阅读这些故事，随着故事的进展，情感也随之波澜起伏，有壮烈的激情，有缱绻的爱意，也有凄美的伤感。总之，阅读的快感，丰沛而多彩。

阅读这样奇异的故事，经过一场心灵的历险和心理上的恐怖体验，同样会对善与恶、美与丑，或彼或此，有所鉴别，这同样有赖读者的灵性与妙悟。

这些故事，打破现实与虚幻、时间与空间的界限，富于魔幻和神秘色彩。我们畅游于这个奇幻的世界，感受着与宇宙万物的冲突、和谐，与古今哲思的交流、契合，与人类的心力才智的感悟、沟通。

我们可以和魂灵互致绸缪，可以把怪诞嘘之入梦。我们的精神世界丰盛了，视野开阔了，心理也会为之更加强健。

要做一个智者、勇者，就要敢于经历心灵的探险。阅读这套“鸡皮疙瘩系列丛书”，虽然会有坐“过山车”的惊恐，但终将“安全着陆”。那时候，你会津津乐道，回味无穷。

斯坦大叔，请摘下你脸上那副吓人的面具（序二）

著名儿童文学理论家、作家 彭 懿

——等了这么久，R.L.斯坦终于来敲门了。

隔着门缝，我窥见月光下是一个青面獠牙的怪物，是他，戴着面具，他来了，我发现我起了一身的鸡皮疙瘩，体温降到了零度。

这个男人就站在门外。

我战栗起来，我不知道是不是应该开门让这个寒气逼人的男人进来。其实，斯坦不过是一位给孩子们写惊险小说的作家，1943年出生于美国的俄亥俄州，比被誉为“当代惊险小说之王”的斯蒂芬·金还要大上四岁。不到十年的时间，他的“鸡皮疙瘩系列丛书”（Goosebumps）就卖出了一个足以让我们的畅销书作家汗颜的天文数字——2.2亿册！

我战栗什么呢？

我战栗，是因为惊险小说在我们这里还是一大禁忌。不单是我，许多甚至连惊险小说是一个什么概念都搞不清楚的人，只要一听到“恐怖”两个字，就脸色惨白了。我们是怕吓坏了我们的孩子。但我们忘了，几十年前，在一根将熄未熄的蜡烛后面睁大了一双双惊恐的眼睛听鬼故事的，恰恰正是我们自己。

事实上，我们许多人对惊险小说都有一种饥饿感，就连斯蒂芬·金自己都沾沾自喜地说了，不论是谁，拿起一本惊险小说就回归到了孩子。恐怖，原本是人类自诞生以来最原始的一种感情，但到了小说里面，它已经变味了，衍生出了一种娱乐的功能。

我们为何会如饥似渴地去追求这种惊险呢？

恐怕是因为惊险小说或多或少地表达了现代人在潜意识中的某种对日常生活崩溃的不安，而作为它的核心，潜藏在恐怖的背景之下的“神秘”与“未知”，更是满足了人们的好奇心。还有一个重要的理由，就是有光必有影，有了恶，才看得出善。从本质上来说，人是渴望“善”与“光明”的，通常被我们忽略或是遗忘了的这种倾向，在惊险小说的阅读中都被如数找了回来。不是吗，我们不正是在惊险小说里认识到了潜伏在恐怖背后的“恶”与“黑暗”的吗？面对恐怖，我们才重新发现了被深深地尘封在心底的“正义”、“善”和“光明”。

——门外的斯坦等不及了，开始砸门了，他号叫着破门而入。

斯坦的“鸡皮疙瘩系列丛书”可是够吓人的，看看他都给孩子们讲述了一个个什么故事吧——埃文和新结识的女孩艾蒂从一个古怪的商店买回了一罐尘封的魔血。他的爱犬不小心吃了一口，于是它开始变化，那罐魔血也开始膨胀吃人……

斯坦绝对是一个来自魔界的怪物。

作为一个同行，我无法不对斯坦顶礼膜拜，每个月出书两本的斯坦怎么会有那么多诡异的灵感？他在接受《亚特兰大日报》的采访时曾说过一句话：“我整天文思泉涌，写得非常顺手……”斯坦从不吝啬自己的灵感，甚至已经到了铺张奢华的地步，这就不能不让我起疑心了，据说他房间里有一副土著人的面具，我怀疑斯坦一定是戴着这副被下了毒咒的面具不知疲倦地写作的。

除了灵感，他的想象力也是无与伦比的。

当然了，还有故事。和斯蒂芬·金一样，斯坦也是一个讲故事的高手，唯一不同的是，斯蒂芬·金是在给大人讲故事，而斯坦是在给孩子讲故事。在我们愈来愈不会讲

故事、一连串的短篇就能串起一部十几万字的长篇的今天，斯坦显得实在是太会讲故事了。他从不拖泥带水，一个悬念接着一个悬念，永远出乎你的意料之外。

记忆里，我似乎没有看到过比它们更好看的故事。

——我逃进了过道，斯坦狞笑着在后面紧追不舍。我透不过气来了，我打开一扇壁橱的门钻了进去，我在暗处打量起这个男人来。

像《魔戒》的作者托尔金提出了一个“第二世界”的理论一样，斯坦也为自己量身定做了一个理论：安全惊险。所谓的“安全惊险”，又称之为“过山车理论”，说白了，意思就是你们读我的惊险小说，就像坐过山车一样，虽然坐在上面会发出一阵阵惊叫，但到头来总会安全着陆。斯坦这人也是够世故的了，明眼人一看就知道这套所谓的理论不过是说给那些拒绝让孩子看惊险小说的大人听的，是一块挡箭牌。

尽管斯坦的“过山车理论”多少带了点贼喊捉贼式的心虚，我们还能指责他一两句，但他在惊险小说上的造诣，我们就只有仰视的份儿了。可以这么说，斯坦已经把惊险小说——至少是给孩子看的这一块——发挥到了极致。

第一，斯坦把惊险推向了我们的日常。你去看他的故事好了，它们几乎都发生在一个与你咫尺之遥的地方，就在你身边，主人公与你一样地说“酷”，与你穿一样的耐克鞋，与你拥有一样的偶像、一样的苦恼……这正是现代惊险小说的一大特征。它缩短了与读者之间的距离，使读者与书中那些与自己相似的人物重叠到了一起。只有这样，读者才会不知不觉地对那些来自魔界或另外一个世界的怪物们信以为真，才会共同体验或者说是共同经历一场可怕的恐怖。

故事发生在我们的日常，并不是说现实世界与幻想世界的界限就在斯坦的作品里消失了。实际上，这不过是幻想小说里一种常见的模式而已，即“日常魔法”（Every-day Magic），它是《五个孩子和一个怪物》的作者E.内斯比特的首创，它不像“哈利·波特”那样从现实世界进入一个幻想世界，而是颠倒了过来，即幻想世界的人物侵入到了现实世界。斯坦非常的聪明，这种“日常魔法”的写法，不需要去设置什么像九又四分之三车站一样的通道，轻而易举地就能俘获读者的“相信”。

第二，斯坦把快乐注入了惊险。写过《挪威的森林》的村上春树曾说过一句话：好的惊险小说，既能让读者感到不安（uneasy），又不能让读者感到不快（uncom-fortable）。斯坦就做到了这一点，岂止是没有不快，而

是太快乐了。从斯坦的简历中我发现，斯坦曾在一家儿童幽默杂志任职长达十年之久，所以他的惊险小说才能那样逗人发噱。

——斯坦发现了我，一把把我从壁橱里面拽了出来，拽到了阳光下面。这时，他把脸上的面具摘了下来，我终于看清了他的一张脸。

斯坦戴着一副眼镜，不过，他镜片后面的那双眼睛很亮、很单纯，无邪得就像是一个孩子。这与斯蒂芬·金就大不一样了，斯蒂芬·金的那双眼睛混浊得让你不寒而栗。这也就是为什么上帝要选择斯坦来为孩子们写惊险小说的缘故吧！

真的，你读斯坦的书，就像是被一个戴着怪物面具的大叔在后面手舞足蹈地追着，他嘴里发出的尖叫声比你还恐怖，还不时地搔上你几下，你会哇哇尖叫，会逃得透不过气来，但你不会死，你知道这不过是一场游戏。

惊魂街惊魂

1 两个胆小鬼

“好吓人，艾琳 。”朋友马蒂一把将我的衣袖紧紧地拽住。

“放手！”我悄声说，“你把我弄疼了！”

马蒂似乎没听到，一面死死地抓住我的胳膊不放，一面睁大眼睛，直直地向黑暗中望去。

“马蒂，拜托——”我低低地叫了一声，挣脱了他的手。虽然我也害怕，不过我不想承认。

周围比最黑的夜晚还要黑，我用力地眯缝着眼睛，极力想看清东西。这时，前方出现了一团幽暗的光亮。

马蒂佝偻着身子，虽然光线晦暗，但他眼睛里充满着惊恐还是让我看到了。

他再次把我的胳膊抓在手里，嘴巴大张着，又急又重的呼吸声清晰可闻。

虽然我也怕得要命，但一丝浅浅的微笑还是始终挂在我脸上。我最爱看马蒂那副战战兢兢的模样。

我真的很喜欢。

没错，没错，我是太坏了，我承认，艾琳·怀特是个坏人，哪有我这种朋友啊？

但是，谁叫马蒂老爱吹牛他比我胆子大呢，而且，他在大多数情况下都没有说错，遇到什么事，胆大的那个往往是他，我总是充当胆小鬼。

然而，今天可不一样。

所以，看到马蒂惊恐地倒吸了一口冷气，拽住我的胳膊，我才会暗暗偷笑。

前头的幽光越来越亮，吱吱嘎嘎的声音从我们两侧传来。身后，有人在离我很近的地方咳了一声，但我和马蒂都没有回头，眼睛直视着前方。

等着，看着……

我努力向亮光中望去，看到了一道栅栏，长长的木栅栏，油漆已经退色剥落，上面有个手写的标语：来人小心，危险勿近!

又有一阵窸窸窣窣的声音传来，马蒂和我都吃了一惊。起先声音很轻，然后大了起来，像有巨大的爪子在抓挠栅栏的另一面。

我想咽一下口水，但嘴里突然干得不行，心里有一种

冲动，想拔腿就跑，有多快跑多快。

但是，我不能把马蒂一个人扔在这儿，而且，如果我现在逃跑了，他会永无休止地用这件事来奚落我。

因此，我还是待在他身旁，听着那抓挠声变成了撞击声，很响的撞击声。

是什么人在另一边，企图冲破栅栏吗？

我们沿着栅栏跑得飞快，越跑越快，越跑越快——快得那油漆斑驳的高高的栅栏在眼里模糊一片。

但那个声音一直在追随我们，那是栅栏另一边的沉重脚步声。

我们直视着前方，脚下是一条空寂无人的街道，很熟悉的街道。

是的，我们以前来过这儿。

路面的雨水聚成一个个水洼，在惨淡的路灯下反射着光亮。

我做了一个深呼吸。马蒂把我的胳膊抓得更紧了，我们俩张大了嘴巴。

栅栏摇晃起来，整条马路都在震动，水洼中的积水溅到了马路牙子上，我们俩惊恐不安。

轰隆隆的脚步声更近了。

“马蒂——”我倒抽了口冷气，几乎发不出声音。

没等我把话说完，栅栏轰然倒塌，一头怪兽猛地冲了

出来。

它长着狼一样的头颅——咧着血盆大口，龇着寒光闪闪的白牙——身体却像一只巨型的螃蟹。它的四只尖爪在身前挥舞，发出铮铮的声响，突起的嘴部豁然张开，喉咙深处传来低沉的吼声。

“不——”我和马蒂魂飞魄散，发出长长的惨叫。

我们跳了起来。

但无路可逃。

2 影迷“双胞胎”

我们呆呆地看着那狼首蟹身的怪兽向我们逼近。

“请坐下来，孩子们，”一个声音在我们背后说道，“我看不到银幕了。”

“嘘!”另一个人小声说道。

马蒂和我相互看了一眼。我想，他肯定也觉得自己刚才的表现傻透了，反正我是这样。我们重新坐到了座位上。

狼头蟹一蹦一跳地跑在大街上，追逐一个骑三轮车的小男孩。

“你怎么啦，艾琳?”马蒂摇着脑袋，小声问道，“不就是电影吗，你干吗鬼喊鬼叫的?”

“你不也叫了吗?”我毫不客气地说。

“你叫我才叫的!”他还嘴硬。

“嘘！”别人提意见了。我在椅子里往下缩了一点。周围一片窸窸窣窣的声音，好多人在吃爆米花，身后又有人咳嗽。

银幕上，狼头蟹伸出血红的大爪子，抓住了三轮车上的小男孩。咔嚓！咔嚓！永别了，孩子。

有些观众笑出声来。确实很好玩。

这就是《惊魂街上的惊魂客》系列电影最棒的地方，它们既让你尖叫，又让你好笑。

马蒂和我老老实实地坐着看完了电影。我们酷爱恐怖电影，而《惊魂街上的惊魂客》是我们最喜欢的。

最后，警察抓住了狼头蟹，他们把它放进大罐子里，用水煮熟了，招待全镇的人吃螃蟹。大家围着它坐，拿它蘸黄油汁吃，都说味道好极了。

结局太完美了，马蒂和我一起又是鼓掌又是欢呼，他像平时那样，把两个指头塞进嘴里打了个呼哨。

我们刚刚看的是《惊魂街上的惊魂客》第六部，毫无疑问它是这个系列中最精彩的一部。

电影院的灯亮了，我们穿过走道，在人群中往外挤。

“特技效果太棒了。”一个男人对他的朋友说。

“特技？”那人回答道，“我还以为全是真的呢！”

说完，俩人都笑了。

马蒂从后面用力撞了我一下，他一向把偷袭我当成一件好玩的事。“这电影不错。”他说。

我回头看了看他。“啊？只是不错？”

“嗯，还不够吓人，”他答道，“老实说还有点儿幼稚。《惊魂街5》要吓人得多。”

我白了他一眼。“马蒂，你刚才可是叫得嗓子都破了，忘记啦？你还从座位上跳了起来，你拽住我的胳膊，还——”

“那是因为我发现你怕得要命。”他笑嘻嘻地说。真是个假话精！为什么他害怕的时候从来都不承认呢？

他伸出穿运动鞋的脚，想绊我一跤。

我向左边一躲，没站稳——重重地撞到了一个年轻姑娘身上。

“嘿——看着点儿！”她叫道，“眼睛睁大点儿，双胞胎。”

“我们不是双胞胎！”马蒂和我不约而同地喊道。

我们连姐弟都不是，一点儿亲戚关系都没有，但人们总当我俩是双胞胎。

这大概是由于我们长得相像的缘故：都是十二岁，个子都矮矮的，还都有一点儿胖。脸都是圆的，都留着短短的黑发，蓝眼睛、小鼻子，而且鼻孔都有点儿朝外翻。

但我们绝对不是双胞胎！只不过是朋友罢了。

我向那位姑娘道了歉，然后向马蒂转过身去，他又伸

出脚来绊我。

我晃了一下，但很快又站稳了，接着便伸出自己的脚——绊了他一下。

我们在长长的放映厅里就这样你绊我一下，我绊你一下，人家都在看，但我俩笑得太厉害，管不了那么多了。

“你知道关于这部电影最酷的一点是什么吗?”我问他。

“不知道，是什么啊?”

“那就是：我们俩是世界上最早看到这部片子的小孩!”我高声说道。

“哈!”马蒂和我举起手，互相击了一掌。

刚才是《惊魂街上的惊魂客6》的新片预演。我爸爸的工作要跟很多电影行业的人打交道，所以他为我们弄来了两张票。电影院里除了我们两个小孩，其他全是大人。

“知道还有什么地方很酷吗?”我再次问他，“就是那些怪兽。它们全都很酷，看起来活生生的，一点儿不像是特效做出来的。”

马蒂皱起了眉头：“嗯，我觉得里面的电鳗女看上去有点假，不像鳗鱼，倒像一条大蚯蚓!”

我笑了：“那她放电烧那群小混混的时候，你为什么会吓得从座位上跳起来?”

“我没跳，”马蒂不承认，“是你跳了!”

“我没有！你跳了，就是因为场面太逼真，”我毫不让步地说，“演到毒爬虫从核废料堆里跳出来的时候，我还听见你气都喘不上来了呢。”

“我是吃牛奶巧克力噎着了。”

“你是害怕，马蒂，因为电影太逼真了。”

“哎——如果它们是真的呢?”马蒂大声说道，“如果不是特效呢? 如果真的有这样的怪兽呢?”

“别犯傻了。”我讥笑他说。

我们拐了一个弯，走进另一条走廊。

狼头蟹正在这里等着我们。

我连尖叫的时间都没有。

它张开利齿森森的嘴巴，发出长长的狼嚎——两只巨大的血红色爪子扼在我的腰上。

3 神奇老爸

我张大嘴想放声尖叫，但只能发出又细又弱的声音。

我听到有人在笑。

巨爪松开了我，塑料爪子。

两只眼睛在狼头面具的后面看着我。我早该想到，这是有人穿化装服假扮的，不过我没料到他会站在这儿。

我只是有点意外嘛，没别的。

白光一闪，我连连眨眼。一个男人给那怪兽照了一张相。我看到墙上有一个红黄两色的广告牌：看电影——玩电脑游戏！

“抱歉，吓着你了。”穿狼头蟹化装服的人温和地说道。

“她就爱大惊小怪！”马蒂高声说。

我重重地推了他一下，和他一起快步离开，回过头还

看到怪兽在向我挥着爪子。

“我们得上楼去看看我爸爸。”我对马蒂说。

“还用得着你说嘛。”

哼，他自以为有幽默感。

爸爸的办公室就在电影院楼上的第二十九楼。我们慢步跑向走廊尽头，走进电梯。

爸爸的工作真是酷毙了，他建造主题游乐园，设计各种各样的游乐项目。

他是“史前公园”的设计者之一，在这个巨大的主题乐园里，你会被拉回到史前时代，那儿有五花八门的游乐节目和表演，还有几十只机械恐龙到处游荡。

爸爸还参与了“超现实电影世界之旅”的设计工作，这是所有到好莱坞的旅游者必玩的项目。

他的创意是让游客走进某个巨大的电影场景中，看到无数电影中的角色，你可以在任何一部自己喜欢的电影中担任主角！

我知道，听起来好像我在吹牛皮，但我爸爸确实很聪明，他还是个机械天才！依我看，他是世界级的机器人大师，什么样的机器人他都能做出来，让它们干什么就干什么，他设计的所有主题公园和游乐项目里都有这样的机器人。

马蒂和我走出电梯，来到二十九楼。我们向前台的女

人摆摆手，便匆匆向走廊尽头爸爸的办公室走去。

这间办公室更像一间游戏室。房间好大，可以说得上是巨大，真的，里面堆满了各种各样的玩具，到处都是卡通人物、电影海报和怪兽模型。

马蒂和我最喜欢在他办公室里东摸摸，西看看，什么东西都研究一番。爸爸在墙上挂了十几张精美的海报，来自不同的电影，一张长条桌上放着名叫“倒悬号”的模型，是他设计的一种底朝天的过山车。模型上有微小的车厢，真的可以在轨道上行驶。

他还有很多《惊魂街》电影里的东西，酷毙了——比如说《惊魂街噩梦》中，狼女手上戴的原版毛爪，他把它放在一个玻璃盒里，摆在窗台上。

此外还有各种各样的模型，电车啦，小火车啦，飞机啦，火箭啦，甚至还有一只大大的银色塑料飞艇，是遥控的，能在爸爸的控制下在办公室里转上一圈又一圈。

多好玩的地方啊！我一向认为，爸爸的办公室是世界上最让人开心的地方。

可是，这一次我和马蒂走进屋里的时候，爸爸的样子看上去并不太高兴。他弓着背，坐在桌前打电话，头低着，视线低垂，对着听筒喃喃低语。

爸爸和我长得并不像，我个子矮，肤色深，他则又高又瘦，头发是金色的。不过他的头发没剩几根，差不多是个秃子。

他有那种特别容易发红的皮肤，一说话面孔就变成粉红色。他戴着黑框眼镜，镜片又圆又大，挡住了褐色的眼睛。

马蒂和我走进门里，爸爸没有看到我们。他两眼凝视着桌面，领带拉了下来，衬衫的领口也散开了。

他又低声说了一会儿，马蒂和我轻手轻脚走进办公室。

终于，爸爸把电话放下，抬眼看到我们两个。“啊，你们俩好啊。”他语调温和，两颊红彤彤的。

“爸爸——出什么事儿啦?”我问他。

他叹了一口气，摘下眼镜，揉着鼻梁：“有一个很坏的消息，艾琳，这是个非常坏的消息。”

4 惊魂街电影世界

“爸爸——什么坏消息？什么？”我叫了起来。

这时，爸爸慢慢地咧开嘴，笑了出来，我这才醒悟自己被耍了。

“上当啦！”他大声嚷嚷，褐色眼睛里闪着快活的光芒，两颊红扑扑的，“你又上当啦，这样的恶作剧，你没有一次不中招的！”

“爸——”我恼羞成怒，大叫一声，一个箭步跳上桌面，双手卡住他的脖子，假装要掐死他。

我们嘻嘻哈哈地滚成一堆，这时，马蒂还站在门廊里，头摇得跟拨浪鼓似的。“怀特先生，这恶作剧可真没劲。”

爸爸手忙脚乱地把滑下来的眼镜架好。“不好意思，你们两个小家伙太容易上当啦，我实在忍不住，”他笑眯

眯地看着我，“其实，是有一个好消息。”

“好消息？还想骗我啊？”我疑惑地问他。

他摇摇头，从桌上拿起一样东西。“看看这个，孩子们，知道是什么吗？”他把那玩意儿放在摊开的掌心里给我们看。

马蒂和我凑上去，看到了一辆白色的塑料小车，有四个轮子。“是火车车厢吗？”我猜测道。

“是电车，”爸爸解释说，“看到了吗？里面有人坐在长椅上，用电机驱动的。”他指了指模型的前面，让我们看看引擎装在哪里，“但是，你们猜猜，这辆电车会用在什么地方？”

“爸爸，猜不出来，快说呀！”我急不可待地说，“别让我们猜来猜去啦。”

“好吧，好吧，”他脸色更红，笑得越发灿烂，“这是将要用在‘惊魂街电影世界’中的电车模型。”

我陡地张大了嘴巴。“你是说，那个电影世界终于要开放了？”我知道，为了这个项目，爸爸已经忙了好多年。

爸爸点了点头。“是的，终于快要向公众开放了，但是，在此之前，我想让你们俩先试玩一下。”

“啊？真的吗？”我高兴得发出一声尖叫，好像快要把自己的皮都撑爆了！

我转头去看马蒂，他又蹦又跳，挥舞着拳头：“好哇！好哇！好哇！”

“这个电影世界是我设计的，”爸爸说，“我希望你们俩是全世界最先体验它的孩子，我想知道你们的看法，什么地方喜欢，什么地方不喜欢。”

“好哇！好哇！好哇！”马蒂蹦个不停，我在考虑是不是应该往他腰上拴根绳子，然后拉在手里，免得他飘走了！

“爸爸——《惊魂街》系列电影是最棒的！”我叫道，“太妙了！”然后我又加了一句，“那个电影世界会很吓人吗？”

爸爸的一只手按在我的肩膀上。“希望如此，”他答道，“我想尽办法，把它做得跟真的一样恐怖，电车会带着你，穿过所有的影棚，你会看到电影里的每一个角色，最后电车会缓缓驶过惊魂街。”

“真正的惊魂街吗？”马蒂嚷道，“真的吗？真的是电影里的那条惊魂街？”

爸爸点了点头。“没错，就是那条惊魂街。”

“好哇！好哇！好哇！”马蒂的拳头又在空中挥舞，大叫大嚷，发了狂一样。

“太酷了！”我叫道，“酷毙了！”我和马蒂一样乐得屁颠屁颠的。

马蒂突然又不跳了，表情一本正经起来。“也许不该让艾琳去，”他对我爸爸说，“她会吓坏的。”

“啊?”我嚷了起来。

“电影预演的时候，她就吓得不行，非得我握着她的手不可。”马蒂对爸爸说。

真是个大话精!

“拉倒吧!”我气愤地大叫，“要说胆小鬼，绝对就是你，马蒂!”

爸爸举起双手，示意我们别吵了。“静一静，伙计们，”他慢条斯理地说，“不准吵，你们得一起去，知道吧，明天的游览，你们俩是唯一的客人哦，唯一的。”

“好哇!”马蒂欢呼雀跃，“好哇！好哇!”

“哇塞！棒极了!”我叫了起来，“好得不得了，顶呱呱!”然后，我又冒出一个想法：“妈妈也能来吗？我打赌，她会喜欢的。”

“什么?”爸爸的眼睛在镜片后面注视着我，整张脸涨得通红，“你说什么?”

“我问妈妈能不能一块儿去啊。”我重复了一遍。

爸爸久久地看着我，仔细地看着我。“你没事吧，艾琳?”终于，他问了这么一句。

“没事啊，很好。”我乖乖地答道。

我心里突然又沮丧，又不解。我做错什么啦？

妈妈出什么问题了吗？

为什么爸爸要那样死死地盯着我啊？

5 两个人的乐园

爸爸从桌子后面绕过来，搂着我的肩膀。“你和马蒂两个人去，会玩得更开心，”他温和地说，“你看呢?”

我点点头。“嗯，也许吧。”

我还是不懂，为什么他会充满怀疑地看着我，但决定还是不再问的好。我可不想惹恼他，或者弄出别的什么事来，让他打消安排我俩去游览的念头。

“这么说，你也不去?”马蒂问爸爸，“真的只有我们两个人?”

“我希望你们自己去，”爸爸答道，“这样会更刺激。”

马蒂咧开大嘴朝我直乐。“但愿真的够吓人!”他大声叫道。

“别担心，”爸爸的脸上掠过一抹奇异的微笑，“你们不会失望的。”

第二天下午，爸爸开车带我和马蒂前往“惊魂街电影世界”，空气中弥漫着淡淡的灰雾。我坐在前排，隔着窗户望着外面的烟雾。“灰蒙蒙的。”我喃喃地说。

“正好去玩惊魂电影棚。”马蒂在后座搭话说。他兴奋得坐不住，两条腿一踢一踢的，双手不停拍打着真皮座椅。

我从没见马蒂这么疯过，如果不是绑着安全带，他可能会从车里弹出去！

车子驶上好莱坞周围的小山，狭窄的道路蜿蜒盘旋，经过山坡上一座座红杉木板房，院子里都植满了树木。

越往上去，天色越昏暗，我想大概是驶进了一团云雾之中。远处可见好莱坞的标志牌，在雾气中横跨在一座阴沉沉的山头之上。

“但愿不会下雨。”我看着雾气漫过那个标志牌，嘴里嘀咕了一句。

爸爸咯咯地笑了。“你知道的，洛杉矶从来不下雨！”

“我们会看到什么怪物？”马蒂在后座上坐立不安地问，“有电击魔吗？我们真的会在惊魂街上走吗？”

道路弯弯曲曲，爸爸透过眼镜注视着前方，不停地转动手里的方向盘。“我不会说的，”他答道，“不然就不好玩了，什么都不知道才好呢。”

“我是为了到时候可以给艾琳提个醒，”马蒂说，“我可不想她吓得太厉害，晕倒了可怎么办?”说完他哈哈大笑。

我气愤地哼了一声，回过身去想打他，但没够着。

马蒂凑过来，伸出双手在我头上一通乱揉，把我的头发弄得乱糟糟的。“别弄了！”我尖叫道，“我警告你——”

“安静点儿，伙计们，”爸爸轻声地说，“到了。”

我转过身，隔着挡风玻璃向外望去。路面已经变平了，一个巨大的标志牌耸立在前方，上面写着几个触目惊心的血红色大字：惊魂街电影世界。

我们慢慢驶近前方的大铁门，门是关着的，小小的门房里坐着一个守卫，正在看报纸。大门上方两个大字金光闪闪，是“当心”。

爸爸将车径直驶到大门前，守卫抬眼看了看，然后朝爸爸露出热情的笑容，按了一个按钮。大门缓缓打开，爸爸把车开进了影棚旁边高高的白色高层停车场里，就停在紧靠入口的头一个车位上。停车场好像大得没有尽头，但总共也就只有三四辆车。

“下周正式开放的时候，停车场肯定爆满！”爸爸说道，“会有数以万计的人来这儿玩，我希望如此。”

“但是今天就只有我们两个！”马蒂激动地大喊一声，跳下车子。

"我们真走运啊!"我说。

几分钟之后，我们站在主楼外的平台上，对着宽阔的街道，等待电车来接我们。街道通向十余座白色的摄影棚，一直向山下伸去。

爸爸指了指两座巨型建筑，它们大得像飞机库一样。"那儿是有声电影棚，"他向我们解说道，"很多电影场景都是在那里拍的。"

"游览路线会经过那里吗?"马蒂问道，"惊魂街在哪儿?怪兽呢?现在有没有拍电影?能去看看吗?"

"嘀!"爸爸叫了一声，两手按在马蒂的肩上，好像生怕他从地面飞起来似的。我从来没有见过马蒂这么得意忘形的样子。"放松点，伙计，"爸爸警告说，"你这样会烧断保险丝的哦，那就活不到游览结束了!"

我连连摇头："也许该给他拴个狗链。"

"汪!汪!"马蒂吠叫起来，龇着牙做出要咬我的样子。

我打了个寒噤。山里的雾气卷了过来，空气清冷潮湿，天色越来越暗。

两个西装革履的人开着高尔夫球车，沿着街道一路驶来，俩人同时张嘴说个不停，其中一个朝我爸爸挥了挥手。

"我们可以开这种车吗?"马蒂问，"一人开一辆?"

“不行，”爸爸对他说，“你们要坐电车，记住——不管发生什么情况，一定要待在电车里。”

“你是说，我们不能在惊魂街上步行?”马蒂痛苦地拉长声音问。

爸爸摇了摇头。“不可以，一定要待在电车里。”

他看着我说：“我在电车站台等你们回来，你们要把游览感受向我做个全面的汇报，我想知道你们喜欢的和不喜欢的分别是什么。如果过程中有什么不顺利的情况，别担心，有些地方还需要改进。”

“嘿——电车来啦!”马蒂蹦蹦跳跳地指着说。

电车无声无息地从街角拐出来，一共挂了六节车厢，做成了过山车的样子，敞篷的——但是比过山车更长更宽。车身是黑色的，打头一节的车头上画着一个白色的骷髅头，模样令人毛骨悚然。

一位红头发的年轻女郎身穿黑色制服，坐在车头的第一排长椅上，是车上唯一的乘客。电车驶向空地，她朝我们挥了挥手。

电车停稳之后，她跳下车来。“嗨，我叫莲达，是你们的向导。”她冲我爸爸微微一笑，红发在风中飘动。

“你好，莲达，”爸爸也向她露出微笑，轻轻招手，把马蒂和我叫过去，“这是你的头两名受害者。”

莲达咯咯笑了起来，问我们叫什么名字，我们告诉了她。

“可以坐前面吗?”马蒂热切地问。

“当然可以了,”莲达回答说,“想坐哪儿都行,这是你们的专列。”

“太好了!”马蒂大叫一声,跟我击了一掌。

爸爸笑了。“我想,马蒂已经想出发了。”他对莲达说。

莲达拨开散落到脸上的红发:“马上就能出发,伙计们,不过我还有件事要办。”

她俯下身,从电车里拉出一只帆布袋。“一会儿就好,伙计们。”她从袋子里取出一支红色的塑料枪,“这是激光眩晕枪。”

这支枪看着好像《星际迷航》里的道具。她紧握着它,脸上的笑容消失了,绿莹莹的眼睛眯缝了起来:“当心点儿,孩子们,它们可以隔二十英尺的距离,把怪兽定身。”

她把枪递给了我,然后又把手伸进袋子里。“不到被逼无奈时不要开枪。”她用力咽了一下口水,咬了咬下嘴唇,“我很希望你们不需要用它。”

我笑了起来。“开玩笑的吧——对吗?这不过是把玩具枪——对不对?”

她没有回答我的话,只是从袋子里拿出另外一把枪,向马蒂走去。

但是，平台上的一段绳子绊了她一下。“啊!”只听她一声惊呼，枪从手中滑落。

吱的一声，一道炫目的黄光喷出。

莲达一动不动地僵立在平台上。

6 电车旅程

“莲达！莲达！”我尖声叫道。

马蒂大张着嘴，喉咙里咯咯作响。

我扭头向爸爸看去，惊讶地看到他满脸都是笑。

“爸爸，她……她被定住了！”我喊道。但是，当我再次转向莲达的时候，却发现她脸上竟然也堆满了笑意。

我们俩都上当了，不过很快就醒悟过来，这是个恶作剧。

“这是电影世界送给你们的第一个惊吓！”莲达高声宣布，垂下了手里的红色眩晕枪，将一只手放在马蒂的肩头，“我好像真的把你吓惨了哦，马蒂！”

“才没有呢！”马蒂死不承认，“我知道是开玩笑的，所以就配合了一下。”

“得啦，马蒂！”我翻翻白眼，叫了起来，“你吓得差

点连牙都飞出来了!”

“艾琳，我没害怕，”马蒂还嘴硬，“真的，我只是陪大家一起玩玩，难道你以为一支傻瓜塑料枪就能吓着我吗?”

“上车吧，你们俩，”爸爸催促道，“游览开始，你们可以上路啦。”

马蒂和我爬进电车的前排，我到处找安全带，但车上没有。“你会跟我们一起来吗?”我问莲达。

她摇了摇头。“不，就你们俩，车是自动的。”她把眩晕枪递给马蒂，“但愿你用不着它。”

“嗯，没错，”马蒂的眼珠骨碌一转，咕哝着说，“这枪太幼稚了。”

“记住了——结束后我就在这儿等你们，”爸爸挥着手说，“玩得开心些，要详细向我汇报呢。”

“别下车，”莲达告诫我们，“头和手不要伸出车外，车子开动的时候不要站起来。”

她踩下平台上的一个蓝色按钮，电车猛地一晃，马蒂和我向后一倒，随后电车便稳稳当当地开了出去。

“第一站是‘恐怖鬼屋’!”莲达的声音从我们身后传来，“祝你们好运!”

我回头望去，看到她正朝我们挥手，红色的长发在风中飘动。电车向山下驶去，强劲的气流迎面扑来。天空几

乎黑得像夜晚一样，几座白色的影棚隐没在迷雾之中。

“傻枪，”马蒂一边把玩着那把枪，一边嘀咕，“为啥要我们拿着这把塑料枪？希望待会儿的电影世界没这么弱智。”

“我倒希望你不要没完没了，抱怨一整个下午，”我不满地对他说，“你不觉得很棒吗？我们就要看到《惊魂街》电影里的所有怪兽了。”

“会不会有电击魔？”他问。电击魔是他的至爱，我猜这也许是因为他本来就是个恶心的家伙的缘故。

“也许吧。”我回答道，双眼看着路边掠过的一座座低矮的建筑物，它们黑沉沉地伫立着，全都是空荡荡的。

“我想看狼崽和狼女，”马蒂掰着指头数道，“还有……鱼人、病船长、变种大地鼠，还有——”

“哇！你看！”我大喊一声，在他肩膀上捶了一下，指向远方。

电车拐了一个急弯，阴森森的恐怖鬼屋赫然出现在眼前。在弥漫的雾气中，我们看不见它的屋顶和塔楼，只看到余下的部分阴森森地矗立在幽暗的天幕下。

电车载着我们行驶过去。杂草随风起伏，淹没了前院的草坪。砌在墙上的卵石纷纷碎裂脱落，房子正面的窗户里透出幽幽的绿光，晦暗而诡异。

离得更近之后，我看到在那破烂不堪的门廊上，有一个铁链锈蚀的秋千，虽然没有人，却自己来来回回地摆动着。

“酷!”我大叫一声。

“看着比电影里小好多。”马蒂低低地说。

“就是这幢房子!”我叫道。

“可是为什么小得多?”他问道。

真是个牢骚鬼。

我扭过身去不看他，仔细打量着鬼屋。一排铁栅栏将这个地方围了起来，我们沿着栅栏驶向房子的一侧，锈迹斑斑的大门摇摇晃晃地打开了，发出吱吱嘎嘎的尖叫。

“看!”我伸手一指二楼黑洞洞的窗户。所有窗板倏地同时打开，然后又砰的一声关上了。

窗户里亮起灯来。透过上方的遮雨篷望去，只见一个个骷髅头的黑影悬浮在半空，幽幽地飘过来，飘过去。

“这还有点意思，”马蒂说，“不过不够恐怖。”他举起塑料枪，假装朝骷髅头射击。

我们围着恐怖鬼屋绕了一圈。里面传来惊心动魄的尖叫声，百叶窗不断地砰砰直响，门廊上的秋千吱嘎吱嘎地来回摆个不停，好像有看不见的鬼魂在推着它。

“到底会不会进去?”马蒂着急地问道。

“坐好，别没完没了地挑刺儿，”我批评说，“才刚开始呢，别扫了我的兴，好吗?”

他朝我伸伸舌头，不过还是老老实实地在座位上坐好了。一声号叫传来，紧接着是充满恐惧的尖声惨叫。

电车悄无声息地驶到房子背面，一道门打开，我们开了进去，驶进了后院，这儿的草坪很久没有修剪过，杂草丛生。

电车加快速度，颠簸着驶上草坪。快到后门时，门上的一个木牌映入眼帘，上面写着：走投无路。

我们眼看着就要撞到门上了！我伏下身，举起手来挡着自己。

但是门吱吱嘎嘎地打开了，我们赶紧向里面冲去。

电车慢下来，我放下手，坐直身子。此时我们置身于一个灰扑扑的黑暗厨房里，有个看不到的鬼魂嘎嘎地笑了起来，笑声充满邪恶。破旧的罐子锅子挂满一墙，我们一经过，就哗啦啦地摔落到地面上。

炉门自动打开又关上，灶上的茶壶呜呜尖叫，碗橱上的盘盘碟碟互相碰撞，叮叮当当地响成一片，鬼笑声越来越大。

“吓死人了。”我低声说。

“哟，吓死人啦！”马蒂讽刺地说了一句，交叠双臂抱在胸前，“没——劲！”

“马蒂——你饶了我吧，”我推了他一把，“你要是愿意，随便从鸡蛋里挑骨头好了，但不要坏了我的兴致。”

这句话好像说到了点子上，他嘀咕了一句“对不起”，又蹭着身子坐回到我身边。

电车开出阴暗的厨房，进入比那儿还黑的一条走道里，墙壁上挂着一幅幅妖魔鬼怪的图画。

就在我们接近一扇壁橱门的时候，它猛地打开——一副尖叫的骷髅弹到我们面前，张着大嘴，伸出胳膊要来抓我们。

我尖声大叫，马蒂则哈哈大笑。

眨眼间，骷髅又缩回到壁橱里。电车拐了一个弯儿，前面出现了忽闪忽闪的光。

我们驶进一个很大的圆形房间。“这儿是客厅。”我低声对马蒂说，抬眼向闪光之处看去，看到头顶上挂着一盏枝形吊灯，上面插着十几支蜡烛。

电车停在吊灯下方，吊灯摇晃起来，只听嗞的一声，所有的蜡烛刹那间全都熄灭了。

房间里顿时伸手不见五指。

随后，一阵阴沉沉的笑声在身边响起。

我猛地吃了一惊。

“欢迎光临寒舍!”一个低沉的声音出其不意地响起，震荡了整个房间。

“是谁?”我压低声音问马蒂，“从哪儿来的声音?”

没有回答。

“哎——马蒂?”

我转过身去：“马蒂——”

他消失了。

7 疯狂电车

“马蒂?”

我一口气堵在嗓子眼儿里上不来，浑身僵硬，在黑暗中瞪大了双眼。

他去哪儿了? 我在心里问道，他明知我们不能离开电车的，他下车了吗?

没有。

如果是这样，我会听到动静。

“马蒂?”

忽然有人抓住了我的手臂。

轻轻的笑声响起，是马蒂的笑声。

“哎——你在哪儿? 我看不到你!”我高声叫道。

“我也看不到你，”他回答说，“不过我没动，就站在你旁边呢。”

“啊?”我伸出手去，摸到了他的衣袖。

“真酷!”马蒂叫道，“我正在挥手，但是连自己的手都看不到。你真的看不到我吗?”

“看不到,”我答道，“我还以为——”

“这是利用光线要的花招,”他说，“黑色光之类的电影特技吧。”

“啊，差点吓死我了,”我老实地说，“我真以为你失踪了呢。”

“真是个大笨蛋。”他讥笑道。

话音刚落，我俩都蹦了起来。

砖砌的大壁炉突然喷火，橘黄色的火光照亮了整个房间，一张很大的黑色扶手椅向我们转了过来，上面赫然坐着一个咧嘴大笑的骷髅。

骷髅抬起发黄的头颅骨，下巴一开一合地说起话来。“希望你们喜欢我的家,”它的声音如闷雷一般，“因为你们再也出不去了!”

说完，它昂起头，嘎嘎嘎地发出邪恶的笑声。

电车猛地一挫，向前开动，我们驶出客厅，进入一条漫长的黑暗通道，骷髅的笑声一直追在身后。

电车速度渐快，我不由得朝后一仰。

我们拐弯儿、下坡，进入另一条长走廊，这儿黑得连墙壁都看不清。

越来越快，越来越快。

呼的一下，又是一个拐弯儿，很急。

现在是向上攀升，接着又陡然向下俯冲，我们俩都张开手臂，狂叫不止。

再一个急转弯儿过后，我们向上，向上，向上，接着又一头向下扎去。

一片漆黑中的疯狂过山车之旅。

这感觉太美妙了，尤其是我们一点心理准备都没有，反而更好玩。马蒂和我扯着嗓子叫喊，电车在恐怖鬼屋中的一条条黑暗走道里左冲右突，将我俩颠得重重撞在一起。再次上升，上升——接着又陡然向下。

我死死地抓住车厢的前部，力气大得手都疼了，车上没有安全带，没有安全扶手。

被颠下去怎么办？我不由得暗暗担心。

仿佛看穿了我的胆怯，车子忽地朝侧面一翻。在惊呼声中，我的手一松，滑向一旁，马蒂一下子压在我的身上。

我不顾一切地伸出手，想抓住点儿什么。

车子又正过来，我做了个深呼吸，靠在椅背上坐好。

“哇塞！太精彩了！”马蒂大笑大嚷，“太精彩了！”

我抓住车厢前部，再度用力吸气，然后憋住气，想平复激烈的心跳。

面前打开一道门，我们从中间冲了过去。

车子颠簸得厉害，我看到了树林和灰蒙蒙的天空。

原来我们已经出来了，正行驶在后院里。电车轰隆隆地碾过野草，在昏暗的树丛中走起了之字路，我们俩被甩得左右摇摆。

“哇！停下！”我用力喊叫，几乎透不过气来。电车行驶在崎岖不平的地面上，磕磕碰碰，发出咔啦咔啦、吱吱嘎嘎的声响，强劲的风扑打着我们的脸。

车子失控了，肯定是什么地方坏掉了。

我被不断地从座位上抛起来，一面找了个地方拼命抓紧，一面东张西望，希望能找个人来救救我们。

一个人都看不到。

电车颠簸着驶上路面，速度渐慢。我转头去看马蒂，只见他头发蓬乱，嘴巴半张，眼珠子直打转，原来已经头晕眼花了。

电动车在减速，越来越慢，越来越慢，到最后变成不易察觉的滑行。

“太过瘾啦！”马蒂高声说着，双手把头发向脑后一捋，朝我咧嘴大笑。我知道他跟我一样，也被吓了个半死，却偏要硬装出一副很喜欢这个疯狂游戏的样子。

“嗯，挺过瘾的。”我也想装一下，但声音却尖细而哆哆嗦嗦。

“我要告诉你爸爸，走道里的过山车是最酷的环节！”马蒂说。

“是好玩，”我表示同意，“也挺吓人。”

马蒂扭头看向别处。“咦，我们这是在哪儿？”

电动车已经停下，我坐直身子，向四周打量。我们停在了两排高大的常绿灌木之间，这些灌木枝叶稀疏，树形就像一把把直刺天空的长矛。

头顶的天空上，下午的太阳极力穿透雾气，从灰色的天幕上洒下道道淡淡的阳光，灌木丛投下细长的阴影，覆盖在我们的电车上。

马蒂站起来，转身望向电车的后面。“这儿什么都没有，”他说，“什么地方都不是，干吗停下来啦？”

“你以为——”我刚想说什么，又打住了，因为灌木丛里有动静。

一丛树枝在摇晃，接着旁边的那丛也晃动起来。

“马蒂——”我细细地叫了一声，扯扯他的衣袖。灌木丛的背后，有两个发亮的红点，那是一双红眼睛在闪闪发光！

“马蒂——那儿有人。”

又一对眼睛出现了，接着还有一对，在灌木丛后面紧盯着我们。

随后出现的是两只黑色的爪子。

还有窸窸窣窣的声音。树丛向两旁分开，一个黑影跳了出来，后面还跟着一个。

它们在大声吼叫着，怒声咆哮着。

我大惊失色，想跑已经来不及了。

丑恶狰狞的怪兽包围了我们，它们咻咻地嗅着鼻子，呼哧呼哧地喘着粗气，蹒跚着走出灌木丛，向我们张开双臂，往车上爬。

8 怪兽影星

马蒂和我一蹦三尺高。

“啊……”马蒂心惊胆战地低叫一声。

我向后退去，打算从车厢的另一侧爬出去。

但车厢两边都有连吼带叫的怪兽。

“别……别上来！”我声音哆嗦着叫道。

一头怪兽披着满身纠缠不清的棕色长毛，大张着嘴，露出两排尖刀般的黄牙，呼出的热气直喷到我的脸上。它走到我身前，肥大的爪子朝我一挥，恶狠狠地吼道：“要签名吗?”

我张口结舌，傻傻地看着它，吓得下巴差点儿掉到地上。“啊?”

“签名照要吗?”它又问了一句，长满浓毛的爪子又扬了扬，里面握着一张黑白快照。

“嘿——你是猩猩脸!”马蒂指着它大叫一声。

长毛怪兽点了点头，把照片又朝马蒂递过去。“要照片吗？现在是签名环节。”

“要!”马蒂答道。

大猩猩取下别在耳朵上的签字笔，低头在给马蒂的照片上签名。

我的心跳慢慢恢复正常，认出了另外几头怪兽。那个身上糊了一层紫色黏物的是毒野人，我还认出了甜甜苏，外表活像会说话、会走路的玩具娃娃，长着一头可以梳理的真头发，其实，甜甜苏是来自火星的变种杀手。

长着一张青蛙脸的家伙是超级蛙怪，也被称作蛤蟆终结者，它从头到脚布满紫红色的肉瘤，是《恐怖水塘1》和《恐怖水塘2》的主角。那可是两部特吓人的电影。

“喂，蛙怪——你能给我签个名吗?”我问道。

“呱，呱。”它一边叫，一边将笔塞进疙疙瘩瘩的手爪里。我热切地凑上去，看着它在自己的照片上签名。它写起字来很费力，滑溜溜的爪子总是握不住笔。

马蒂和我收集了一大堆照片，然后怪物们吼叫着，喘息着，回到灌木丛里去了。

它们消失之后，我俩放声大笑起来。“好傻啊!”我叫道，“它们钻出灌木丛的时候，我还大惊小怪了呢!”我低头看了看照片，“不过，拿到签名照还是挺酷的。”

马蒂朝我做了个怪相。“不过是一群穿化装服的演员而已，”他轻蔑地说，“小孩子的玩意儿。”

“可是……可是……好逼真啊！”我张口结舌地说，“看不出来是穿着化装服——对不对？蛤蟆终结者的手真的黏糊糊的，猩猩脸上的毛也像真的一样，那些面具棒极了，我一点都看不出来。”

我拨开垂到眼前的头发。“人是怎么钻进化装服里的？完全看不到有纽扣或者拉链一类的东西！”

“因为他们穿的是电影里的戏服啊，”马蒂向我解释说，“比一般的化装服要精细得多。”

真是个万事通先生。

电车向后倒退，我坐下来，看着两排常绿灌木慢慢远去。

我们驶下小山，沿途可见一座座白色的影棚。我心想，不知道某一个有声影棚里面是不是在拍电影，不知道电车会不会带我们去现场看一看。

两辆高尔夫球车行驶在路上，把车上的人送到有声影棚里。

阳光仍然无力地隔着雾气照下来，电车在草地上颠簸着又开始爬坡。

“哇！”我大叫一声。电车猛地一拐弯儿，掉头向树林方向驶去。

“请不要下车，”车上的扩音器里传出一个女人的声音，“下一站是‘活爬虫之窟’。”

“活爬虫之窟？哇塞！听起来很吓人呢！”马蒂大叫。

“肯定很吓人！”我也说道。

然而，当时我们压根儿想不到，它到底有多吓人。

9 虫子很冷！

电车在树林里曲曲折折地前进，树影像黑幽幽的鬼影一般，从我们身上不停掠过。

车子的移动没有发出一丝声响，我不由得在心里想象，如果这儿坐了满满一车兴奋不已的大人孩子，又会是怎样一个情形。如果身边有一大群人，恐怖气氛肯定会淡很多。

不过，我可不是在埋怨什么。马蒂和我是全世界最早体验这个游乐项目的小孩，我们实在太走运了。

“哇！”“活爬虫之窟”出现在前方，马蒂大叫一声，紧紧拽住了我的胳膊。那儿的入口是开在山壁上的一个黑糊糊的大洞，里面有淡淡的银光在闪动。

电车放慢速度，载着我们驶近洞口。入口顶上有一个牌子，上面深深地刻着四个大字：有去无回。

电动车摇摇晃晃地向前驶去。“哎——”我大叫着低下头来。好矮啊!

我们驶进了幽暗而飘忽的光亮中。

空气顿时变冷，而且很潮湿。呛人的泥巴味儿冲进鼻子，叫我吃了一惊。

“蝙蝠!”马蒂悄声说道，“你在想什么，艾琳?想这儿会有蝙蝠吗?”他凑过来，在我耳边不怀好意地笑了。

马蒂知道我讨厌蝙蝠!

没错，蝙蝠并不是什么邪恶的东西，它们也没有什么危险，吃的是蚊子之类的小昆虫，不会袭击人，也不会缠在你的头发里，一心想吸你的血。这些不过是电影里瞎说的。

这些我都知道，但没用。

我只知道，蝙蝠样子丑陋、骇人、恶心，我讨厌它们。

自从我告诉马蒂我有多讨厌蝙蝠之后，他就一直抓住这件事来取笑我。

电车深入洞窟，空气更凉，那股臭味儿简直叫我喘不过气来。

“看——在那儿!”马蒂尖声叫道，“吸血蝙蝠!”

“啊?哪里?”我一时没忍住，紧张地问道。

不用说，这又是马蒂耍的蠢花样，他笑得活像个疯子。

我怒气冲冲地看着他，照他肩膀狠狠地捶了一下。“这不好玩，无聊！”

他听了反而笑得更欢。“我敢说这儿肯定有蝙蝠，”他理直气壮地说，“这种又黑又深的洞里，没有蝙蝠才奇怪。”

我转过头去，不看他那张笑嘻嘻的脸，竖起耳朵仔细听，想听听有没有蝙蝠拍打翅膀的声音，但是没有听到。

洞变窄了，石壁好像在朝我们挤过来，车身蹭在泥土墙上，我感觉在向下行驶。

在微弱的银光中，我看到洞顶上倒垂着冰柱样的尖东西，长长地排成一列。我知道这样的东西有个名字，但又记不清是哪一个——石笋，还是钟乳石？

电车在冰柱下方穿行，我不由得把头低下来。在近处看，那些冰柱就像尖尖的象牙。

“咱们离蝙蝠越来越近啦！”马蒂又在逗我。

我懒得理他，眼睛一直看着前方。洞里又宽了起来，我们的黑影在洞壁上飞快地移动。

“呀！”一个又凉又滑的东西钻进脖子后面的衣领里，我不由得低声叫了起来。

我向旁边一跳，飞快地扭过头去看着马蒂。“拿出来！”我厉声喝道，“把你的凉手拿开！”

“谁——我？”

他没有碰我，两只手都把在车上呢。

那我脖子后面的是什么？又冷又湿，像冰一样。我浑身一震，打起哆嗦来。

“马……马蒂！”我结结巴巴地说，“救……救命！”

马蒂看着我，满脸不解：“艾琳——你怎么了？”

“我脖子后面——”我说不下去了。

我感觉到那个凉冰冰的湿东西在动，决定还是不要坐等马蒂的援手了。

我把手伸进后背，将它捉了出来。手指上传来黏黏糊糊的感觉，而且冷冷的，那东西蠕蠕而动，被我猛地一下子甩在座位上。

一条虫！

一条白色的巨型虫子，冰冰凉凉，湿漉漉的。

“真古怪！”马蒂凑上去仔细研究起来，“从没见过这么大的软虫子！居然是白色的。”

“它……它是从洞顶掉下来的，”我看着它在身边一拱一拱地蠕动，“冷得像冰一样。”

“哦？我摸摸看。”马蒂说着，将食指慢慢朝它伸过去。

他用指头捅了捅虫子身体的中部。

紧接着，他张开嘴，发出惊恐万状的号叫，叫声响彻洞穴。

10 蜘蛛成灾

“怎么了？马蒂——怎么回事?”我扯着嗓子问道。

“我……我……我……”他老半天只说出一个字，“我……我……我……”他的眼睛朝外凸，舌头伸了出来。

他伸出手，从头顶抓出一条白虫，说：“我……我……我身上也掉了一只!”

“好恶心!”我叫道。他那条简直有鞋带那么长。

我们俩把虫子扔出车外。

然而，我的鞋子上又传来轻轻的一声闷响：吧嗒！紧接着头顶一凉，又是一声吧嗒，然后前额上又来了一下，像被人冷冰冰地拍了一巴掌。

“啊——救命!”我哼哼着，伸手去抓虫子，想把它们从身上扯下来。

“马蒂——拜托!”我叫他帮忙。

但他却没工夫帮我。越来越多的白色蠕虫从洞顶往下掉，他又躲又闪，手忙脚乱。

有一条落在他的肩膀上，另一条正往他耳朵上缠。

我用最快的速度，把那滑溜溜的东西从身上往下扯，扔到缓慢行驶的车厢外面。

它们从哪儿来的？

我抬头向上看——眼睛上立即盖了一条肥大黏湿的虫子。

“恶心！”我尖叫一声，把它抓下来甩得远远的。

电车出其不意地拐了一个急弯，我们被甩得在座位上滑向一边。眼前出现了另一条通道，洞穴在这里变窄了，我们颠簸着前进，周围是一片暗淡的银光。

两条白虫在我的大腿上蜿蜒游走，每一条都至少有一英尺长，被我一把抓起，抛出车外。

我大口大口地喘着气，到处看还有没有虫子。我全身都痒得难受，后脖颈儿上像针扎一样，止不住地发抖。

“没再掉虫子了。”马蒂的声音直发颤。

那为什么我还是痒？

我揉着脖颈儿，站起来搜索座位和车厢底部，找到了爬在我鞋面上的最后一条虫子，抬腿将它甩出车外，然后一屁股坐在座位上，长长地出了一口气。

“真是恶心到家了！”我叫苦。

马蒂在胸口上乱挠，又抹了一把脸。“我猜啊，所以这个洞才叫‘活爬虫之窟’。”说完，他叉开手指，向后梳了一把头发。

我打了个寒战，身上还是痒得不行。我知道现在已经没有虫子了，但总摆脱不掉那种有虫子爬在皮肤上的感觉。“这些恶心的白虫子——是活的吗?”

马蒂摇摇头。“当然不是，是假的，”他嘲笑地说，“骗到你了吧，嗯?”

“摸上去太像真的了，”我答道，“还会扭啊扭地到处爬——”

“是机械蠕虫之类的东西，”他抓着膝盖说，“这儿的东西全是假的，绝不可能有真的。”

“我可不敢这么说。”我全身还是很刺痒。

“哼，问问你爸就行了。”马蒂没好气地说。

我忍不住笑了。我知道马蒂为啥突然这么郁闷，不管虫子是真的还是假的，都已经把他吓得够呛，而且，他也知道，这一点瞒不过我。

“我觉得更小一点的孩子不会喜欢虫子的，”马蒂说，“他们肯定会被吓坏，这个我得跟你爸爸说说。”

我刚要答话——一个东西落到我身上，它是干的，落在身上很痒。

它罩住了我的脸，我的双肩，我的全身。

我赶忙伸手去扯，心想，是张什么网吧。

我心慌意乱地抓着它，想把它从脸上扯下来，同时发现马蒂也挥着胳膊，身子乱扭，原来这张网也罩住了他。

电车在昏暗的地道中前进，那张网罩在身上，感觉像黏黏的棉花糖一样。

马蒂放开喉咙大叫起来："是……是蜘蛛网！"

我又是扯，又是拉，又是揪，但那黏糊糊的网挂在脸上、胳膊上和衣服上。"呸！好恶心！"我用力叫道。

这时，许许多多的黑点钻进网里，过了好一会儿，我才认出是什么东西：蜘蛛！成百上千的蜘蛛！

"啊！"我寒毛倒竖。

我用双手去拍，又惶急地用力搓自己的脸，想擦掉那些粘人的丝线。前额上爬了一只蜘蛛，被我抓掉了，但又有一只落在肩头。

"蜘蛛——爬到我头发里了！"马蒂惨叫着说。

这回他把装酷的事扔到了九霄云外，只顾着用手猛撸头发，在脑袋上又拍又打，想把蜘蛛扒拉掉。

电车无声无息地向前行驶，我们俩抽筋一样地折腾着，拼命把身上的黑蜘蛛弄下去。我刚从头发里抓出三只，又有一只爬进鼻孔。

"哇！"我发出一声惊天动地的尖叫——然后一个喷嚏把它喷了出来。

马蒂从我的脖子上抓起一只蜘蛛，将它甩上半空。这应该是最后一只。反正我看不到，也感觉不到还有别的了。

我们俩跌坐到座位里，大口地喘气。我的心脏在胸腔里轰隆轰隆地跳。“你还觉得这些都是假的?”我用哆哆嗦嗦的声音问。

“我……我说不上来，”马蒂低声答道，“蜘蛛也可能是电动的，嗯，可以无线遥控的那种。”

“它们是真的!”我尖叫，“马蒂，你就别嘴硬了——是真的！这里叫‘活爬虫之窟’——这些家伙就是活的!”

马蒂瞪大了眼睛说：“你真这么想?”

我点了点头：“肯定是真蜘蛛。”

笑容浮现在马蒂的脸上。“那可太酷了！”他说，“真蜘蛛！绝对酷毙了!”

我长长地吐了口气，瘫在座位里。我可不觉得这有什么酷的，只觉得恶心，让人毛骨悚然的恶心!

电影世界里的东西都该是假的，否则就不好玩了。我决定要告诉爸爸，虫子和蜘蛛都太吓人了，他应该在电影世界正式向公众开放前撤掉这些东西。

我抱起胳膊，目不转睛地看着前方。接下来又会出现什么？希望不会再有恶心的虫子掉下来，满身满脸地乱爬了。

“我好像听到蝙蝠的声音!”马蒂又开始逗我。他把身体歪向我这边，笑嘻嘻地说：“听到翅膀扇动的声音吗?是巨型吸血蝙蝠!”

我一把推开他，真是的，现在谁有心情听他鬼扯呀!

“咱们什么时候才能从这个洞里出去啊?”我烦躁地问道，“这里一点都不好玩!”

“我倒觉得挺酷的。”马蒂还是老一套，“我喜欢洞穴探险。”

狭窄的通道豁然开朗，我们进入一个阔大的洞窟，洞顶简直有一英里那么高，地面上到处散布着巨大的岩石，一块叠着一块，满地都是。

前面什么地方传来滴答、滴答的滴水声。

诡异的绿光从四周的墙壁上射出，电车在洞窟深处的墙壁边停了下来。

“又有什么花样?”我嘀咕道。

我和马蒂在座位上转动身子，眼睛在空旷的洞窟中四处打量。眼中所见只有石头，平整的石头，有圆形的，也有方形的。

滴答，滴答，滴答！滴水声在右边的什么地方响起。空气阴冷而潮湿。

“真有点无聊，”马蒂嘟哝说，“什么时候从这里出去呀?”

我耸耸肩："我哪知道？怎么停住不动了，这里不就是个空荡荡的大洞吗？"

我们等着电车向后退，带我们从这儿出去。

我们等了又等。

一分钟过去了，又是几分钟过去了。

我们俩都跪在座位上，朝电车尾部看。什么都没有，只有水滴声在高高的墙壁间回荡，此外再也没有一丝声息。

我俯身靠着面前的椅背，双手拢在嘴边，高声喊道："喂——有没有人？"

我支棱起耳朵等待着，但没有任何回应。

"有没有人哪？"我又叫了一遍，"我们给困在这里啦！"

没有回答，有的只是滴答、滴答的滴水声。

我继续等待，同时眯缝起眼睛向绿光中望去。

电车为什么不动了呢？是出故障了吗？我们真的是被困在这里了？

我转头对马蒂说："这车是怎么了？你觉得我们——咦？"

我倒吸了一口冷气，身边的座位竟然空空如也！

我两手伸出，想摸一下马蒂是否还在。

又是光效障眼法？还是错觉？

“马蒂？喂——马蒂？”我紧张地叫道。

脊背上泛起一股凉意。

这一次，马蒂真的消失了。

11 电车罢工了!

“马蒂——”

电车旁响起的一阵刮擦声吓得我差点跳起来。

我急忙转身看去，是马蒂，正站在地面上朝我笑呢。“又把你吓着了!”他说。

“你这个讨厌鬼!”我大叫一声，挥拳向他打去，他笑着躲开了。“你就是活爬虫!”我喊道，“整天就想吓唬我!”

“吓你还真不是什么难事!”他奚落道，然后慢慢收起笑容，“我下车是想看看情况。”

“但车子随时都会开动的!”我说，“你忘了向导怎么说的吗? 她告诉我们千万不要从车上下来!”

马蒂蹲下身，看着车轮。“我原想车子是不是卡住了，或者脱轨什么的，”他抬头看着我，困惑地摇了摇头，

“但问题是压根儿就没有轨道!”

“马蒂——回到车上来!”我劝他说，“万一车子开动，把你一个人丢下——”

他两手抓着车厢侧壁，用力摇晃。车身两边晃动了几下，再没有别的反应。

“我看是坏掉了，”马蒂低声说，“你爸爸说过，可能会出点问题的。”

我心里突然升起强烈的惶恐：“你是说真的困在这个吓人的洞里啦？就我们俩?”

他走到电车前方，在车头和墙壁之间观察了一下，然后两手用力，使出全身的力气想把车向后推。

但车子一动也不动。

“哦，这下好了，”我摇着头，喃喃道，“真可怕，一点都不好玩!”

我在座位上跪起来，再次拼尽全力喊道：“有人吗？这里有没有工作人员？车子动不了啦!”

滴答，滴答，滴答！我等来的依然是持续不断的滴水声。

“有没有人哪?”我继续叫道，“有人吗？来帮帮我们吧!”

没有回应。

“现在可怎么办呢?”我带着哭腔说。

马蒂还在使出吃奶的劲儿推车头。他猛力推了一下，然后长叹一声，终于放弃了。“你还是下来吧，”他说，“我们得步行了。”

“啥？步行？在这么可怕的洞穴里走路？没门！”

他绕到我的旁边说：“你不是害怕了吧，艾琳？”

“是的，我是害怕，”我没有否认，“有一点点怕。”我打量着巨大的洞窟说，“我看不到有任何出口，要想出去看来只能原路返回，我可不想再碰到那些蜘蛛和虫子！”

“一定能找到别的路出去，”马蒂不屈不挠地说，“肯定能找到门的，主题公园的游览线路上都会建一些紧急出口。”

“我还是觉得应该待在车上，”我迟疑地说，“如果在这里等，早晚会有人来找我们的。”

“那不知要等到何年何月了，”马蒂道，“来吧，艾琳，我要走了，你到底跟不跟我走？”

我摇了摇头，双臂紧紧抱在胸前。“决不！”我坚决地说，“我留在车里！”

我知道他是不会一个人走开的，我知道他不会走，除非我跟他一起走。

“好吧，那再见了。”他说着转过身，快步向前走去。

“嗨，马蒂——”

“再见。我可不想留在这里傻等，走喽！”

他是来真的，要把我独自扔在瘫痪的电车上，留在这个可怕的洞穴里。“可是，马蒂——等等我！”

他转回身，急躁地叫道：“艾琳，你到底要不要来？”

“好吧，好吧。”我嘟囔着说。我看明白了，已经没有别的选择，只好从车厢一侧下来，站到地上。

泥地平滑潮湿，我慢慢向马蒂走过去。

“能不能快点儿？”他叫道，“咱们得抓紧出去。”

他倒退着向后走，边走边打手势叫我跟上。

但我停下脚步，惊恐地张大了嘴巴。

“别那样看着我！”他吼道，“别瞪着眼睛死看着我，好像我犯了什么大错似的！”

但我看的不是马蒂。

我看的，是在他身后悄悄向他爬过去的一个什么东西。

12 螳螂在行动

“呃……呃……”我全身的力气都用上了，想给马蒂发出警告，但嗓子里只憋出几声惊恐的呻吟。

马蒂还在向后退，不偏不倚地向着那庞大的怪物退去。

“艾琳，快呀！磨磨蹭蹭的干什么？”他叫道。

“呃……呃……呃……”我费尽九牛二虎之力，终于抬起手向他后面指了一指。

“什么？”马蒂猛一转身，终于也看到了，“哇呀——”他尖叫一声向我跑来，运动鞋在洞窟的地面上直打滑，“天哪，是什么吓人的玩意儿？”

一开始，我估量着那是一台机器，看起来亮闪闪的，金属感很强，就像工地上常见的大吊车。

等看见它用细细的后腿站起身，我简直蒙了——这家

伙是活的！

它的眼睛是黑色的，有桌球那么大，在银色的小脑壳里滴溜溜地转动，头顶还长着两根颤颤巍巍的细触须。它的嘴巴仿佛是一个烂糊糊的洞口，生着一圈刺须，灰白的舌头吞进吐出。

怪物长长的身体向后仰，就像一片折叠的树叶，站起来的时候，两只前腿挥动不停，像两根白色的短棍。

整个看上去，这家伙就像个一身骨头的大棒槌。只见它长长的后腿一弯，向前一跳，再一弯，再一跳，肥大的舌头来回晃悠，两只黑眼睛不再来回转动，而是聚焦在我身上。

“它是……一只蚱蜢？”我吭哧吭哧地说。

马蒂和我一起向后退，向电车退去。

怪物晃动着棍子一样的前腿，继续朝我们跳过来，缓缓地抡着头上的触须。

我们俩都靠上了冰凉的洞壁，没法再向后退了。

“我觉得是螳螂。”马蒂仰头看着怪物说。这只昆虫的身高至少是我们的三倍，向前跳动时，头都快擦到洞顶了。

它用舌头舔着烂糊糊的嘴，嘴巴皱缩，发出响亮的吮吸声。这声音可真恶心，我的胃里一阵翻腾。

怪物圆溜溜的黑眼睛向下盯着我和马蒂，又向前跳了一下。这只巨型螳螂，全身上下都像铝合金一般闪动着金属的银光，脑袋朝我们垂了下来。

“它……它要干什么?”我语无伦次地说，后背紧紧地贴在墙壁上，已经退无可退了。

让我意外的是，马蒂突然哈哈笑了起来。

我转身抓住他的肩膀，他不是吓疯了吧?

“马蒂——你没事吧?”

“当然!”马蒂答道，他挣开我的手，向着高高耸立的昆虫靠近了一步，“咱们干吗要怕呀，艾琳?它只是个巨型机器昆虫而已，程序设计好了叫它向着电车跳的。”

“呃，可是马蒂——”

“都是在电脑上设定好的。”马蒂抬眼看着怪物说道，螳螂俯下直挺挺的僵硬身体，头垂得更低了，“不是真的，只是这次游览的一个项目而已。”

我也抬头看着怪物，大滴大滴的涎液从它宽厚的舌头上滚落，吧嗒吧嗒地砸在地面上。

“它……呃……看起来实在够逼真的!”我喃喃道。

“你爸爸在这方面绝对是个天才!”马蒂道，“我们得告诉他，这螳螂做得可真棒!”

螳螂两只前腿搭在一起，发出尖厉的啸声。

我捂住耳朵，尖厉的叫声刺得我耳膜生疼。

没等我把手从耳朵上拿下来，又一只巨型螳螂从大石头后面跳了出来。

“瞧，又来一个！”马蒂一手拉着我的胳膊，一手朝前指，“哇，瞧它们的动作多自如，不知道的话你还真看不出是机械昆虫。”

两只银色的昆虫聚在一起，嘀嘀咕咕，发出尖锐刺耳的金属声。它们黑色的眼珠骨碌碌地转悠，头上的触须飞速地盘旋舞动。

大滴大滴的唾液从它们的舌头上滚落，砸到地面上。后来那只闪了闪背上的银色翅膀，又立马合上了。

“好漂亮的机械昆虫！”马蒂大声说，他掉头看着我，“还是回到电车上吧，现在我们已经见识了这些大虫子，估计他们就要启动电车了。”

两只昆虫还在吱吱吱地互相打招呼，它们蹦跳着向前，彼此靠得更近，棍子一样的前腿狂乱地挥舞着。

“希望你说对了，”我对马蒂说，“这些虫子太逼真了，我可不想总待在这里。”

我随着马蒂向电车走去。

第一只螳螂向前猛地一跳，站在我们和电车之间，挡住去路。

“嗨——”我叫道。

我们试图从旁边绕过去，但大虫子也跟着向旁边跳动，继续挡道。

“它……它不让我们过去!”我结结巴巴地说。

“哦!”我尖叫起来。大虫子的头突然向下一挥，脑门重重地砸在我的胸口上，把我砸得仰躺在地。

“嗨——住手!”我听到马蒂大声喊道，“这机器肯定是出了问题!”

螳螂瞪着黑眼睛，头又垂了下来，重重地顶在我身上，把我朝洞窟中央推去。

它的同伙也开始行动，压低了身躯，准备拿脑壳撞马蒂。马蒂双手护在身前，快速向后一闪，然后跑到我旁边。

耳中传来蹬踏地面的声音，还有尖锐的咕哝声。

我快速转身。我的乖乖，又是两只巨大巨丑的螳螂从石头后面在往外爬，然后又是两只。它们狂乱地扭动着触须，肥大的舌头在嘴边甩来甩去。

我和马蒂蹲在洞窟中央，虫子们围着我俩一跳一跳地打转。随后，它们不约而同地用后腿直立起来，黑眼珠里凶光闪烁，短短的前腿疯狂舞动。

“我们……我们被包围啦!”我叫道。

13 逃出“虫”围

虫子们唧唧喳喳地尖叫，快活地摩擦着两只前腿。洞窟内满是它们的叫声，在石壁间回响。

它们用细细的后腿站立，绕着我们围成一个圆圈，并且向前靠拢，将包围圈缩得更小。舌头飞速地从它们的嘴巴里吐出来，又缩回去，大滴大滴的唾液落到地面上。

“这些家伙失控啦!”马蒂尖声高叫起来。

“它们要干什么?”我双手捂住耳朵，怪物发出的尖厉叫声和呼哨声实在让人无法忍受。

“难道它们是声控的?”马蒂叫道，他仰起头，对着怪物喊道，“停下来！停下来!”

但是它们没有停下来。

一只螳螂仰起银色的头颅，张开恶心的大嘴巴，吐出一大团黑色的唾液，把马蒂的运动鞋溅得一塌糊涂。

马蒂往后跳，可是鞋子在地面上粘住了。他费了很大劲儿才把鞋子拉开。“真想吐！小心，那黑色的东西是有黏性的！”他大声叫道。

噗！

另一只螳螂大张着嘴，喷出一大团黏稠的黑色唾液，唾沫星子喷洒到了我的肩膀上。

“哎呀！”我大叫一声，隔着T恤衫都能感觉到火热的灼痛。

其余的螳螂一起唧唧地尖叫起来，不停地搓着毛茸茸的前腿，舌头在口中闪电般伸缩，对着我们压低了脑袋。

“眩晕枪！”我叫道，伸手抓住马蒂的胳膊，“兴许眩晕枪足够应对这些大虫子！”

“那些枪只不过是玩具！”他叫道。

砰！

又一大团黑唾液只差几寸就砸在了马蒂的脚面上。

“再说，枪在电车上呢！”马蒂抬头盯着丑陋的怪物继续说道，“它们绝不会让我们靠近电车的！”

“那怎么办呢？”我喊道。

说话的时候，我脑筋急转，突然闪过一个念头。

“马蒂——”我轻声说，“你平常怎么对付虫子？”

“嗯？艾琳，你是什么意思？”

“拿脚踩，对吧？碰到虫子你一般就拿脚踩，对不对？”

“可是，艾琳——”他迟疑道，“这些虫子太大了，它们来踩我们还差不多!”

“不妨试一试!”我喊道。

我抬起腿，用尽全身的力气，运动鞋狠狠地踩在距离最近的一只螳螂的脚上。

巨大的虫子发出一声惨厉的尖叫，向后跳开。

在我身边，马蒂也照此办理，鞋跟狠狠地踏在一只螳螂精瘦的脚上。那只螳螂向后一个趔趄，仰起头发出痛苦的惨叫，眼珠骨碌碌地乱转，疼得头上的触须都竖了起来。

我又接着踏上一脚，巨大的螳螂发出嘶哑的闷叫声，歪倒在地，四条腿一起在空中乱蹬。

“快跑!”我叫道。

我转身从包围圈的缺口中冲了出去，不辨方向，心里只有一个想法，那就是无论如何先突围再说。

洞窟里一瞬间好像炸了锅，充耳都是愤怒的唧唧尖叫和犀利的呼哨声。我从眼角看到马蒂踉踉跄跄地跟在后面。

我顾不上那些唧唧的尖叫声，只知道继续向前跑。

跑向电车。

身体前倾，我从车厢里抓起两把塑料眩晕枪，一把抱在怀里。

我离开电车，沿着石头墙壁飞奔。

能往哪儿跑呢？

我能逃出去吗？

唧唧声和嘶鸣声更响、更尖厉了。怪物巨大的影子在墙壁上跳动，我有一种感觉，好像这些影子随时都能探爪把我揪住。

我扭过头看了一眼。

马蒂在我身后玩命地跑着。

螳螂上蹿下跳，在我们身后穷追不舍。

该往哪里逃呢？有路可逃吗？

就在这时，我看到洞壁上有一个狭窄的缺口，窄到顶多算一道裂缝。

但我还是向那道裂缝冲去，一闪身钻进缝隙，在两面石壁间奋力朝前挤。

出来啦！眼前一片雾蒙蒙的天光！

我到了洞外！

我看到山坡上迤逦的树林，还有通向影棚的路！

太好啦！出来啦！我成功啦！

我好开心啊，原来逃出生天的感觉是如此美妙！

但美妙的感觉没能持续很久。

我的气还没喘匀，就听到马蒂惊恐的喊叫：“艾琳——救命！救命啊！我被它们抓住啦！它们在吃我呀！”

14 古墓探险

我大吃一惊，急忙回头看去。

我能把马蒂救出来吗？怎样才能帮他逃出洞窟？

让我意外的是，马蒂已经出来了，只见他靠着石壁坐下，跷起了二郎腿，一只胳膊肘支在石头上，脸上乐开了花。

“骗你没商量！”他说。

“滚蛋！”我怒不可遏地大叫，扔下手中的两把塑料枪，向他冲去，想给他吃顿拳头，“你这个笨蛋！你都快把我吓死啦！”

马蒂一闪，我的拳头打空了。

“不许再开这种无聊的玩笑了！”我气喘吁吁地说，“这地方太恐怖，那些大虫子……”

“是，确实挺吓人，”马蒂也表示同意，脸上的笑容也消失了，“太逼真了！想让它们那样吐唾沫可不容易，怎么弄出来的?”

我摇了摇头，喃喃地说：“我也不知道。”

胃部一阵虚脱的感觉。我知道这想法太疯狂，可我真的有点儿相信，遇到的那些生物可能都是真的。

也许是我惊悚电影看得太多了吧。但是，那些螳螂，还有那些大白虫子以及一路碰见的其他林林总总的怪物，看起来都那么真实！都像是活的！

它们动起来一点机械的感觉都没有。看上去，它们似乎是有呼吸的，而且，螳螂的眼睛瞪着我和马蒂，分明是真的在看我们！

我想把这些想法告诉马蒂，但肯定只会招来他的嘲讽。

他已经认定我们看到的都是机器，都是恐怖电影里的特效道具。当然，这也说得通，毕竟我们参观的就是电影世界呀！

我真心希望马蒂说的是真的，希望这一切都是在唬人，是电影特效。

在设计活动机械和主题游览方面，我爸爸确实是个天才。也许我们看到的一切，都是出自他的设计，也许这一次，他的天才有了超常的发挥。

但是胃部的虚脱感挥之不去。我明确地感觉到，我们处在威胁当中，而且是真正的危险。

我觉得，肯定是什么地方出了问题，有什么东西失控了。

我突然希望，如果我们不是最先试玩的两个孩子就好了。没错，两个人单独游览，是绝对刺激的特殊待遇。但是这里实在太寂静、太空旷、太恐怖了。如果有几百个人在一起，那就好得多。

我想把这些都说给马蒂听，但怎么可能呢?

他太急着证明自己比我勇敢，什么都不怕。

我无法把内心的想法告诉他。

我捡起两支眩晕枪，递了一支给他，不想自己占着两支枪。

他把枪管往牛仔裤口袋里一插，叫道："嘿，艾琳——看看咱们这是在什么地方!"说罢他蹦蹦跳跳地向前跑去，两眼放光，凝视着前方，"咱们快瞧瞧去!"

他穿过草地向前跑，我迈开脚步跟在后面，不想让他离我太远。

天空变得阴沉沉的，太阳躲到了一片厚厚的乌云背后。空气清冷，团团灰色的迷雾在低空飘浮着。已经快到傍晚了。

我们穿过马路，走进一个小城镇，就是当电影布景的那种小镇。镇上都是一两层高的矮房子，一些小店铺，还有一间典型的小地方的日用百货店。店铺旁边的街区里，是一些老旧的大房子。

“你看这儿真是拍电影的地方吗?”我匆匆追到马蒂身边。

他转身看着我，黑眼睛里满是快乐的光芒：“你难道没认出来？不知道我们来到什么地方了吗?”

透过几棵七扭八歪的树，我的眼睛落在一栋破破烂烂的大房子上，再往前，是一片古老的墓地，被东倒西歪的尖桩篱笆圈在当中。

于是我明白了，我们所在的地方，正是惊魂街!

“哇!”我惊叫一声，转头四下打量，想把一切尽收眼底，“真的是惊魂街！他们所有的电影都是在这儿拍的!”

“跟我想象的不大一样，”马蒂说，“比我想的还可怕!”

他说得没错。随着天色越来越黑，空洞洞的房子上铺满了长长的阴影，风吹过街角，发出阵阵呜咽。马蒂和我沿街向前走去，左看右看，生怕漏掉了什么。我们一会儿在左边，一会儿又跑到街的右边。我们透过尘封的玻璃窗打量幽暗的店铺，下一刻又跑去观察一栋破败房屋前的庭院。

“去瞧瞧那片空地，”我伸手向前一指，“记得吧，那是《惊魂街3》里疯狂砍刀手出没的地方，记不记得，他

把从那里经过的人全给砍了。”

“当然记得!”马蒂心急地说了一句，抬腿走进空旷的场地。呜咽的风把高高的杂草吹弯了腰，前面栅栏上的阴影不停地晃动着。

我站在路边，仔细观察，想弄清楚究竟是什么东西投下的影子。

难道疯狂的砍刀手还躲在这里吗?

这片场地空无一物，那么栅栏上不停晃动的长条形影子又从何而来呢?

“马蒂——回来,”我恳求他道，“天快黑啦!”

他转身对我说：“艾琳，又害怕了吧?”

“不过是块空地,”我说道，“咱们还是继续往前走吧。”

“大家都以为这儿不过是块空地,”马蒂压低了声音，故意吓人，“直到砍刀手蹦出来，把他们都给砍了。”说完他发出一声凶恶的长笑。

“马蒂——你真是没救了!”我摇摇头，嘟囔着说。

他蹦蹦跳跳地从空地里出来，我们又转到街对面。“要是有个相机就好了,”他说，“我真想站在砍刀手出没的这片空地前面留个影。”他的眼睛突然一亮，说道，“也许还有更棒的——”

他不等把话说完，就拔腿往前跑去。

“嗨——等等我！”我叫道。

片刻后，我看出他要去的是哪里了——那个古老的墓地！

他跑到满是裂缝、油漆剥落的木门前，转身对着我说：“太妙了，我真想站在墓地里照张相，这可是他们拍摄惊魂街墓地的实景哦！”

“可是我们又没有相机，”我站在街上对他喊道，“别在那儿待着啦！”

他把我的话当耳旁风，伸手去开墓地的门。门的下沿在草丛中卡住了，马蒂用力去拉，慢慢地，门终于吱吱嘎嘎地动了起来。

“马蒂，咱们还是走吧！”我说道，“已经很晚了，我爸爸不知道我们出了什么事，可能已经等急了。”

“但这是游览的一部分哪！”马蒂毫不动摇。他把沉重的木栅门拉开一条缝，刚好够我们侧着身子挤进去。

“马蒂——我求求你了，不要进去！”我哀求着跑到他身边。

“艾琳，不就是拍电影的地方嘛，”他答道，“以前你可没这么菜呀！”

“我……我只是对这个墓地有种不好的感觉，”我声音哆嗦着说，“一种非常不好的感觉！”

“这是游览的一部分。”他重复道。

“但这门本来是关着的！”我叫道，“门关着就是为了禁止人进去。”我抬眼向墓地里望去，地面上一座座古老的墓碑东倒西歪，就像许多颗长歪了的牙齿，“我的感觉非常不好……”

马蒂对我的话毫不理睬，把门拉得更开一些，扭身钻进了墓地。

“马蒂——求你了——”我双手紧紧抓着低矮的栅栏，盯着马蒂。

他向着坟墓走了三步，突然间，只见他两手直直地向空中一伸——人掉下去，转眼就不见了。

15 墓地惊魂

我向黑影中望去，用力地眨着眼睛。

我咽了一下口水，然后又是一下。

我怎么也不敢相信，他就这样不见了，突如其来地从眼前消失了！

风呜咽着在倾斜、破损的墓碑之间吹过。

“马蒂——”我声音颤抖地叫道，“马蒂?”

不知不觉中，我抓着栅栏的手用力过猛，一阵生疼。我知道自己别无选择，我必须进去，看看马蒂到底出了什么事。

我做了个深呼吸，从门缝中挤了进去。地面很软，我的脚踩进深草之中。

我迈出一步。

又是一步。

“嗨——小心点儿!”马蒂的声音骤然响起，我急忙停住脚步。

“啊?”我观察着地面说，“你在哪儿啊?”

“我在下面!”

我向脚下看去，只见一个黑黝黝的洞口，原来是一个开裂的墓穴，马蒂正在里面抬头看着我，满脸满身都是泥。他举起双手说：“帮我一把，我掉下来了。”

我没法不笑。他站在坟坑里，灰头土脸的，那样子看起来太滑稽了。

“有啥可笑的，快拉我上去!”他急切地说。

“不是告诉过你嘛，”我说道，“我说了我有不好的预感!”

“这里的气味太糟糕了!”他发着牢骚说。

我俯下身问：“下面什么味儿?”

“土味儿!快拉我上去!”

“好吧，好吧。”我抓住他的双手向上使劲儿拉，他双脚用力蹬，脚尖踢进墓穴柔软的泥土里。

很快，他又回到了地面，手忙脚乱地拍身上的土，好一阵折腾。“真过瘾!”他说道，“以后我可有的说了，连惊魂街墓地的坟坑我都进去过!”

风突然变大了，我的脊背一阵发凉。“出去吧。”我和他商量道。

一道灰色的影子从两个墓碑之间静悄悄地飘过。是一小团雾气，还是一只灰猫？

“来瞧瞧这些墓碑。”马蒂还在掸着牛仔裤上的泥土，“都是残缺不全的，连名字都快模糊啦！真酷！你看那一排，他们可没少在上面喷蜘蛛网，够吓人的吧？”

“马蒂——咱们走好吗？”我再次恳求道，“爸爸可能都急坏了。也许电车又发动了，没准我们能找到电车呢！”

他根本不理我。我看着他猫腰去读一块墓碑上的字。“甄·白茨，”他慢慢读道，“1840—1887。”他突然笑了起来，说，“甄·白茨，听出来了吧？再看看旁边的写着什么——本·丹，沙·古瓦。哈哈，太搞笑啦！”

我也笑了起来，本·丹和沙·古瓦这两个名字确实蛮搞笑的。

我倏地停住，再也笑不下去了。墓地深处传来一声轻轻的呼唤，同时，我看到一块墓碑后面又有灰影一闪而过。

我憋住气，侧耳倾听。疾风呼啸着吹过深草丛。

风声中，又传来一声尖厉的呼喊。

是猫？我心里犹疑不定。难道墓地里有很多猫？或者是孩子的叫声？

马蒂也听到了。他顺着那一排墓碑走到我身边，黑眼

睛里满是兴奋。“真是妙不可言哪！你听到他们搞的音效了吧，什么地方肯定藏着个音箱!”

又是一声尖叫。

绝对是人的声音。听起来像个女孩?

我身上一阵哆嗦：“马蒂，我真的觉得该回去找我爸爸了，都在这儿待一下午了，现在……”

“可是还有没玩到的地方呢!”他反驳说，“总得玩个遍才好吧!”

我又听到一声喊叫，更响，而且离我们更近了，那是一声充满恐惧的呼叫。

我努力不去理会。也许马蒂说得没错，这些喊叫是从那只音箱里发出来的。

“可是怎么才能游完全程?”我反驳说，“记得吗，按规定，我们是要待在电车上的，可是电车——呀!”

我大叫一声，只见前面不远处，地面上蓦然伸出一只手来！一只绿色的手掌，长长的手指头伸开，似乎向我们抓来!

“哇呀!”马蒂发出尖叫，踉跄着后退。

土里又伸出一只绿手，然后又冒出两只。

一只只手，从坟墓中伸出。

我倒抽一口冷气。手掌不停地从草丛中探出，前后左右，到处都是，手指头不停地屈伸扭动，作势向我们抓来。

马蒂又开始发笑。“真是绝啦！就跟电影里一模一样!”

等到一只手从他脚边冒出来，一把抓住他的脚踝，马蒂再也笑不下去了。“艾琳——救命!”他叫道。

但我已经自身难保。

两只绿色的手抓住了我的脚脖子，正把我向下拉，向坟墓中拉去。

16 僵尸出击

“下——来，”一个慢悠悠的声音呻吟着说道，“下——来——陪——我——们——吧。”

“不——”我狂喊。

我双臂胡乱地挥舞，脚下用力，想要挣开，但被绿手牢牢地抓住，丝毫动弹不得。

我全身剧烈地扭动，前后拼命摇晃着，努力保持平衡，不让自己倒下。我知道，一旦倒下，他们就会把我的手也抓住，脸朝下拖进坟墓。

“下——来，下——来——陪——我——们——吧。”

这绝不是游戏，我心想，这些手都是真的手，它们真的是想把我们拽到地底下。

“救命！救命啊！”我听到马蒂的哭喊，紧接着就看到他身子一晃，双膝跪倒在杂草之中。

两只手抓住了他的脚踝，又有两只手从泥土中探出，去抓他的手腕。

“下——来，下——来——陪——我——们——吧。下来陪我们吧。”悲戚戚的声音继续呻吟。

“不——”尖叫声从喉咙冲出，我绝望而疯狂地蹬着双脚。

想不到的是，竟然挣脱了！

我一只脚踩在柔软的草地上，向下一看，原来是运动鞋被扯掉了。那只手还抓着我的运动鞋，但我的脚已经挣脱了！

我兴奋得大叫一声，弯下腰，把另一只鞋也脱了下来。

我终于脱身了！自由啦！

我依旧弯着身子，边喘粗气边把袜子也飞快地脱了下来。我知道，光着脚丫子跑起来更利索。我把袜子一扔，跑到马蒂身旁。

他正趴倒在地，六只手紧紧地扣住他，用力向下拽。他全身抖动，仍在不停地挣扎。

他看到我，抬起头叫道：“艾琳，救救我！”

我跪在地上，伸手把他的运动鞋从脚上扒了下来。

绿手掌依旧把他的鞋子攥得紧紧的。马蒂的脚摆脱了束缚，挣扎着想跪起来。

我把一只抓住他手腕的绿手拉开，结果被那只绿手拍了一巴掌，又凉又重，我的手被打得火辣辣地疼。

我不顾疼痛，又拉开了另一只绿手。

马蒂就地一滚，摆脱了那些绿手，然后一跃而起。他浑身哆嗦，大口喘着粗气，嘴巴张得老大，黑眼睛凸了出来。

“你的袜子——”我艰难地喘着气，对他说，“快把袜子脱了！快!”

他手忙脚乱地脱掉袜子。

绿手掌疯狂地向我们抓来。十几只绿手，从泥土中高高地伸出。深深的荒草中，又有几百只绿手破土而出，纷纷伸向我们。

“下——来。下——来——陪——我——们——吧。”呻吟般的声音一刻也不停歇。

“下——来。下——来——陪——我——们——吧。”同样软绵绵的声音从地下传出，似乎有十几个人一起在召唤。

马蒂和我木然呆立。我觉得自己好像被那些凄厉、哀婉的声音催眠了一样，两腿突然像灌满了铅。

“下——来。下——来——陪——我——们——吧。”

然后，我看到一个绿色的脑袋，倏地从土里冒了出来。接着是第二个，第三个……光秃秃的绿脑袋，没有眼睛，只有空洞的眼窝，和黑洞一样没有牙齿的嘴巴。

我看到肩膀从土里升起，然后是胳膊。更多的脑袋钻出来，一个个鲜绿色的身躯拱出了地面。

“马蒂——”我牙齿打战，“他们来追我们啦!”

17 泥潭很危险

这些恶心的绿家伙从土里纷纷冒出来，哼哼声、呻吟声一下子充满了整个墓地。

我最后看了一眼他们身上褴褛肮脏的衣服，还有那黑漆漆的眼洞和没有牙齿的嘴巴。

然后立即撒开腿跑了起来。

一句话都不用说，马蒂和我一道向前冲去，肩并肩跑过那些歪歪斜斜的墓碑之间的荒草。

心脏好像就要在胸腔中炸开似的，头上的青筋猛跳，我的脚踩进冰冷的泥土，在潮湿的草地上不停地打滑。

马蒂抢先跑到了栅栏门前，他冲得太猛，狠狠地撞到了门上。他痛叫一声，挤过门缝，跑到了惊魂街上。

丑陋的绿家伙发出的呻吟声和诡异的叫声就在身后，但我忍住了，没有回头去看，而是一个箭步冲向木门。身体刚从门缝中挤出来，我马上用力一推，把门牢牢地关住了。

我一直跑到街心才停下来调匀呼吸。我弓着腰，双手支在膝盖上，一口接一口地拼命吸气，两肋疼得厉害。

“别停下!”马蒂焦急地叫道，“艾琳——继续跑!”

我做了个深呼吸，跟着他沿街向前跑去，两对光脚丫打在路面上啪啪作响。

哼哼声和召唤声仍不断从身后传来，但我已经吓得连回头看一眼的勇气都没有了。

“马蒂——人都哪儿去了呀?”此时的我已是气喘吁吁，呼吸困难了。

惊魂街上空无一人，住宅和店铺都是一片漆黑。

这里总应该有几个人的吧，我心中想道，这可是个大型游乐园，惊魂街摄影棚的员工都哪儿去了？负责影棚游览的工作人员都在哪里?

怎么会没有任何人来帮帮我们呢?

我们经过了恐怖五金店和恐怖城电子器件商店。“肯定是出了什么岔子!”马蒂一边没命地跑，一边喘着粗气说，“肯定是机器人出了故障，或者是什么别的问题!”

谢天谢地！马蒂总算和我站到了一起！他终于也相信，这儿出了可怕的问题!

“我们必须赶快找到你爸爸!”马蒂说着跑过街口，前面是一片黑影幢幢的屋宇，“得让他知道出了什么事!”

“必须找到电车!”我说话的时候脚下不停，拼尽全力才能跟上他的速度，“哎呀!”

我的光脚板踩到了一个硬东西，可能是石子之类的，剧痛像电流一般顺着腿往上蹿，但我还是一瘸一拐地继续向前跑。

“如果能回到电车上，就可以坐车找到我爸爸!”我叫道。

“肯定有路可以离开惊魂街!”马蒂说，“不过是个布景而已!”

我们跑过一栋带两个角楼的大房子，它看起来有点恐怖城堡的味道，我不记得在哪部《惊魂街》系列电影中见到过这栋房子。

房子再往前是一片很大的空地，空地后面是一道低矮的砖墙，只比我和马蒂高出一两英尺。

“从这里穿出去!”我对马蒂说，“如果能爬上那堵墙，兴许就能看到去影棚的路。”

我只是猜测，但至少值得一试。

我们一起转身跑上了那片空地。

我的光脚丫重重地踏在柔软的地面上。

地面又凉又湿。向前跑的时候，我们的脚掌带起了大块大块的泥土。

地面感觉越来越软，每次抬腿也变得越发艰难。我的脚都陷进了泥里，再向前跑，冰冷的泥浆已经没过了我的脚踝!

砖墙已经近在眼前，这时，我和马蒂一起陷进了泥潭。

“呀!”我们几乎同时发出凄厉的尖叫，只觉脚下一虚，身体开始下沉。

随着身体下沉，泥浆发出难听的咕唧声。

我伸着双手到处乱挥，企图抓住什么东西。

但周围什么都没有。

我被颤悠悠的泥浆牢牢吸住，沉到了脚踝，小腿，然后是膝盖。

我就要被吸进去了，这个想法在心中闪过，让我立刻又想放声尖叫，但喉咙好像被堵住了，什么声音都发不出来。

我望向身边的马蒂。他狂乱地挥动着胳膊，下沉中的身体疯狂地扭动着。泥浆已经漫过了他的腰，但他仍在快速地下沉。

我用力踢踏，想抬起膝盖。

但一切都是徒劳，我已经无法可想，只有沉下去，沉进这黑暗的泥潭里。

糊满了泥巴的胳膊在泥浆上拍打着，我依然在向下，向下。

泥浆漫到了我的脖子，我继续飞快地向下沉。

18 狼人救命！

我憋住气。泥浆已经漫到了下巴。

转眼间就要没顶了，我绝望地想道。

我不由自主地开始抽泣。

泥浆越升越高，漫过我的下巴，涌到嘴边。我把涌进嘴里的泥巴吐了出去。

就在这时，我的手臂被什么东西抓住了——两只强壮的手掌伸到我的胳膊下面，我察觉到这双手在泥浆中的滑动。

那双手将我抓得越来越紧。

我被向上拉，被一双强有力的手向上拉去。

身体上升，黏稠的泥浆发出“波”的一声闷响。我能感觉到烂泥慢慢地滑下我的胸口，滑过双腿、膝盖。

最后，我又站在了结实的地面上，但那双有力的手仍旧攥着我的胳膊。

“马蒂——”我叫道，用舌头舔了舔嘴唇上酸涩的泥水，“你怎样——”

“我出来了！”他嘶哑的声音传来，“艾琳，我没事啦！”

大手终于放开了我。我双腿打战，身体晃晃悠悠的，可还是在地上站住了。

我转身去看是谁在出手相救。

进入视线的，是一双血红的狼眼。

身体是人的身体，上面却是一张狼脸。尖利的爪子上生满黑毛，棕色的长嘴巴张开，露出满口狰狞的利齿，头顶浓密的黑色狼毛中，露出两只尖尖的耳朵。

狼人穿着一件平滑贴身的银色紧身衣，从身形看是女性。我正看得胆战心惊，她陡然张开大口，发出一声低沉的嗥叫。

我马上就认出了她——狼妹！

我转过头望向她的伙伴——狼哥，是他把马蒂从泥潭中拉了出来。马蒂全身都糊着一层泥巴，他用手擦擦脸，结果却在脸上糊了更多的泥。

“你们——是你们救了我们！谢谢！”我缓和了半天情绪，嗓子终于能发出声音了。

两个狼人低低吼了一声，算是回答。

“我们……我们找不到电车了，”我向狼妹说明情况，“我们必须回去，嗯，回到游览线路的起点。”

她发出一声厉啸，然后咔吧一声，用力咬了一下长满尖牙的嘴巴。

“帮帮忙……”我请求道，“你们能帮忙带我们回到电车那里吗？或者带我们到主办公楼去？我爸爸在那儿等我们呢。”

狼妹的红眼睛里凶光一闪，又发出一声低吼。

“我们知道你们只不过是演员而已！”马蒂凶巴巴地叫道，“可是我们不想再玩啦，今天我们已经被吓够了！明白吗？”

两个狼人都呜呜地吼叫起来，狼哥乌黑的嘴唇上挂着一条长长的白色唾液。

我心里冒出一股无名火，完全失去了控制。“打住吧！”我高声嚷道，“收起那一套吧！马蒂说得对！我们已经吓够了！你们也别再装神弄鬼了，赶紧帮帮我们！”

狼人又吼叫起来。狼妹咬了咬嘴巴，伸出一条粉红色的长舌头，饥饿地舔了舔参差的长牙。

“够了！”我嘶声叫道，“别再装了！够了！够了！”

我愤怒已极，竟然伸出手去，抓住了狼妹面具两边的毛发。

我使劲儿地拉她的面具。

我双手拉着，拽着，用了全身的力气。

然后我感觉到，手里抓的，是真正的毛发，皮肤摸上去很温暖。

那竟然不是面具。

19 愤怒的狼人

“呀——”我倒抽了一口冷气，忙不迭地把手松开。

狼妹血红的眼睛里凶光毕露，她黑色的嘴唇张开，再一次用舌头舔了舔黄色的尖牙，一副垂涎欲滴的样子。

我浑身哆嗦，向砖墙退去。“马……马蒂，”我牙齿打架地说，“他们不是人装扮的!”

“什么?”站在狼哥前面的马蒂一下僵住了，糊满泥巴的脸上两只眼睛瞪得老大。

“他们不是扮怪兽的演员，”我压低声音说，“这里一定出了什么问题，非常可怕的问题!”

马蒂的下巴都快掉下来了，向后退了一步。

两个狼人同时发出低吼，他们低下头，好像要发起攻击。

“你相信我吗?”我带着哭腔问马蒂，“现在总算相信我了吧?”

马蒂点了点头，一个字都没说，我想他一定是被惊吓得连话都说不出来了。

唾液从狼人的嘴里源源不断地涌出，他们的眼睛在黑暗中有如四团火焰，毛茸茸的胸口剧烈地起伏，呼吸声也越来越大。

我向后一跃，跳到墙边。两个狼人仰起头，发出瘆人的嗥叫。

他们要干什么?

我抓着马蒂，把他拉到墙边。“上去!”我叫道，“快上去！没准上了墙头就能甩掉他们!”

马蒂抬起双臂，高高跃起。他的手搭到了墙头，但又滑了下来。他又试一次，弯下腿，猛地纵身一跳，手虽然够到了墙头，可还是没有抓住。

“不行!”他焦急地说，“墙太高了!”

“我们必须上去!”我尖声叫道。

我回头看去，只见两个狼人身体后仰，跳上前来。此时他们的吼叫已经变成了咆哮，尖利的牙齿挂满了黏稠的唾液。

“上去!”我叫道。

马蒂向上一跳，我弯腰托住他沾满泥巴的脚掌，用力向上一举，嘴里说了声：“起!”

他的手在空中挥了两下，终于搭在墙头，牢牢地抓住了。

他的双脚一阵乱蹬，不过这次终于没再掉下来，最终爬到了墙上。

他跪在墙头，回身拉住我的手，用力往上拽，我自己也用劲儿地跳起来，拼命想爬到他身边去。

但我就是跳不上去，无法跳到墙上。

马蒂用力地向上拉，我的膝盖蹭着墙壁，两只脚拼命乱蹬。

“不行，我上不去！”我吃力地喘息着说。

狼人再次发出骇人的吼叫。

“加把劲！”马蒂憋着气叫道。他抓住我的胳膊，用尽吃奶的力气向上拽。

我还在挣扎，但狼人此时已经扑了过来。

20 开枪！开枪！

耳中传来牙齿咬合的咔吧一声。

我的脚底板已经感觉到了狼人湿热的呼吸。

狼人冲到了墙根。

在绝望中，我大叫一声，猛一用力，终于蹿上了墙头。我身体平平地趴在墙上，拼命地喘着气。

我抬起头来，刚好看到两个狼人咆哮着跃起，狰狞的嘴巴向我咬来，血红的眼睛紧盯着我，凶相毕露。

“不!”我尖叫一声，连忙爬了起来。

狼人仰着头，怒吼着准备再次进袭。

我和马蒂紧紧靠在一起，俯视着他们。

狼人凌空蹿了起来。

他们的爪子抓在墙面上，狰狞的嘴巴乱张乱咬，刺耳的嗥叫声让我后背汗毛直竖。

狼人从墙上滑了下去，随即准备再次跳起，喉咙里发出狂躁的咆哮。

“我们不能老是待在这里！”马蒂叫道，“怎么办？”

我凝目向黑暗中望去，对面朦朦胧胧的是摄影棚的路吗？

太黑了，无法确定。

狼人又向上跃起，獠牙碰到了我的脚踝。

我向后一躲，差点儿从墙头栽下去。

马蒂和我碰在一起，我们的眼睛都直勾勾地看着下面的狼人，他们怒吼着准备继续进攻。

枪！眩晕枪！

我的枪已经没有了，估计是沉到了潭底。但是马蒂的牛仔裤口袋里露出一截枪把，被我看个正着。

我火速伸出手，抓着枪把，把塑料枪从马蒂的裤兜里拽了出来。

“嘿——”他叫道，“艾琳——你要干吗？”

“他们肯定不会无缘无故发给我们两把枪的，”我的声音几乎被可怕的狼嗥盖住，“也许这枪能对付他们！”

“可……可这只是把玩具枪呀！”马蒂喃喃地说。

管不了那么多了，至少值得一试。

也许这枪能把他们镇住，或者能把他们打伤，又或者能把他们逼退吧。

我举起塑料枪，瞄准了两个凌空跃起的狼人。

“一，二，三，开火！”

我扣动扳机。一下，两下！

三下！

21 狼人的追杀

枪发出很响的嗞嗞声，一道黄光从枪口射出。

成功吧！我心中暗想，成功吧！我祈祷着。

黄光一定会挡住狼人的。

这是把眩晕枪，不是吗？那嗞嗞声和黄光会叫他们眩晕的，会把他们定在原地，让我和马蒂从容逃走。

我用力地扣动扳机，一次又一次。

但眩晕枪并没有拦住狼人，甚至都没能引起他们的注意！

他们越跳越高，尖利的爪子从我的腿上擦过去，痛得我惨叫了一声。

塑料枪脱手飞出，在墙头上弹了一下，然后滚落在地上。

只是个玩具！马蒂说得没错。这枪一点用都没有，只是把该死的玩具枪!

“小心!”马蒂尖叫道。两只怒吼的狼人再一次向着墙头高高跳起。

他们的爪子抓挠着墙壁——这一次竟然在墙面上挂住了！血红的眼睛向上瞪着我，滚烫的呼吸喷到我身上，我的皮肤像被针刺过一样。

“呀!”我登时身体一歪。我舞动双手，想稳住自己，可膝盖一弯，脚从墙面滑了下去。

我伸手去抓马蒂，却没抓住。

我掉了下去，后背沉重地砸在砖墙另一边的地面上。

极度惊恐中，我抬眼向上看去，只见马蒂也跳了下来，落在我身边。

此时，两只狼人已经爬上了墙头。他们喘着粗气，红光闪烁的眼睛向下瞪视着我们，长长的舌头吐了出来。

他们就要从墙头扑下来了!

马蒂一把将我拉起。“快跑!”他哑着嗓子大叫，眼睛瞪得老大，满是惊慌的眼神。

狼人在我们头顶怒吼着。

刚才那一下摔得不轻，我的头还是晕乎乎的，地面似乎有些倾斜。“我们……我们怎么跑得过狼人?”我几乎呜咽着说。

这时，有隆隆的声响和一阵巨大的咔嗒咔嗒声传来。

马蒂和我一同转头看去，只见两只巨眼衬着黑暗的天际射出耀眼的黄光。

一只长着黄眼睛的猛兽呼啸着向我们冲过来。

不，不是猛兽。

随着距离渐近，我看清了它闪光的修长身形。

是电车！

黄色的车头灯后面，是颠簸的电车，它沿路向我们飞速奔来！近了，更近了！

谢天谢地！

我转头望向马蒂。他也看到是电车了吧？没错，他看到了！

我们不发一言，同时向车道冲去。电车开得很快，但我们必须爬上去，无论如何也得上去。我们别无选择！

身后传来狼人的吼叫，随着扑通、扑通两声闷响，他们从墙上跳了下来。

我们已经冲进了两只车头灯射出的黄光之中。

狼人咆哮着、愤怒地嘶吼着，在我们身后穷追不舍。

马蒂领先我几步，拼命甩动双腿，闷着头向前冲刺。

电车颠簸着驶近，越来越近了。

咆哮的狼人已经来到身后，我的后颈几乎感觉到了他们灼热的呼吸。

再过几秒钟，只要几秒钟，马蒂和我就要跳到电车上了。

我看着电车转了一个弯儿，黄光扫过黑暗的路面。我的眼睛盯住第一节车厢，深吸了一口气，双脚用力，就要向上跃起。

这时，马蒂倒了下来。

我看着他双手向前一伸，看着他吃惊地、充满绝望地张大了嘴巴。

他两只脚互相磕绊，脸朝下重重地跌倒在地上。

我根本来不及收住脚步。

只能直直地冲上去，被他绊倒，狠狠地压在了他身上。

同时眼睁睁地看着电车从我们身边飞驰而去。

22 骷髅电车

“呜——嗷——”

两个狼人发出得意的长嗥。

我的心都快从胸膛里蹦出来了，勉强挣扎着站了起来。“快起来!”我抓着马蒂的双臂，拼命把他从地上扶起。

我们朝电车追去，光脚板在坚硬的路面上踩得噼啪作响。最后一节车厢只在我们前面几英尺远的地方。

我先追上了电车，伸出右手，一把抓住了车厢的后挡板。

我发狂地用力一跳，身体凌空而起——跳进了最后一排的座位里!

我大口喘着粗气，回头看去，只见马蒂跟在车后头跑，双手向车厢伸出。“我……我不行啦!”他喘息着叫道。

“再快点！必须上来！”我高声尖叫。

两个狼人跳跃着，在他身后紧紧追赶。

马蒂向前猛蹿几步，双手抓住车厢，被电车拖着又跑了几步，然后向上猛地一跃，跳进了我旁边的座位。

成功啦！快乐一下填满了我的心房。我们成功了！我们终于逃离了吼叫着的狼人！

不会再有什么差错了吧？

他们会不会跟着我们也跳上电车？

我全身都在发抖，猛然回头望去。只见狼人距离我们越来越远，逐渐隐没在远处的黑暗之中。他们追着电车跑了一阵，终于止步不前了！他们站在路上，颓然地弓着身子，看着我们逃脱。

逃脱！

多么动听的一个词啊！

马蒂和我相视一笑，互击一掌以示庆贺。

我们俩都浑身是泥，气喘如牛。我的两条腿跑得酸痛难当，脚板不停地抽搐，心脏也因为刚才的奔逃还在怦怦直跳。

但我们毕竟逃出来了。现在我们坐上了电车，安然无恙，就要回到出发的站台，回到爸爸的身边去了。

“咱们一定得告诉你爸爸，这地方全乱套了！”马蒂上

气不接下气地说。

“一定出了什么大问题!”我赞成地说道。

“那两个狼人，他们可不是闹着玩的。”马蒂接着说道，“艾琳，他们……他们是真的狼人呀！不是演员!”

我点了点头，心里开心得要命，马蒂终于完全认同了我的看法。而且，他也不再逞能装出无所畏惧的样子了，不再坚持说那些怪物都是机械和特效的结果了。

我们都明白，刚才遇到的，是真正的怪物，真正的危险。

惊魂街影棚出了大问题。爸爸说他要我写一份全面的游览报告，那好吧，我就给他一份全面的汇报!

我靠在座椅上，努力让自己镇静下来。

但马上又坐直了身子，我意识到，我们并不是车上唯一的乘客！“马蒂——看!”我向车厢前面一指，“车上还有别人!”

事实上，几乎每一节车厢都坐满了人。

“怎么回事?”马蒂喃喃地道，“你爸爸说今天只有我们两个游客，可这车上——呀——”

马蒂余下的话再也说不出来了。他张大了嘴巴，眼睛瞪得溜圆。

我同样目瞪口呆。

车上的其他乘客此时全部转回头来望向我们。我眼中只看到他们张开的颌骨、黑洞洞的眼窝和灰白的头盖骨！

骷髅！

所有的乘客都是咧嘴干笑的骷髅！

他们张开的嘴巴里发出干涩的笑声，听起来就像风吹过枯树一般萧瑟无情。他们举起枯黄的臂骨，指着我们，骨架子一阵咔吧乱响。

他们的脑壳随着电车颠簸而晃动。我们坐在车上，越来越快地驶向无尽的黑暗。

马蒂和我瘫在座位里，抖个不停，看着那些龇牙咧嘴的骷髅，看着他们伸过来的手臂。

他们是从哪里来的？

他们怎么会在电车上？

他们要把我们带向何方？

23 可怕的骷髅

骷髅们那漏风的笑声依旧不停，骨架子哗啦啦地乱响，发黄的脑壳在他们哗啦哗啦直响的肩胛骨上不停地晃动。

电车越来越快，箭矢般射进浓重的黑暗里。

我强迫自己不去看那些咧开大嘴的骷髅，转头向旁边望去。树丛背后，可以看到一座座低矮的电影棚，就在这一会儿工夫，它们已经变得越来越小，渐渐隐没在黑夜之中。

“马蒂——我们的方向不是站台!”我悄声说道，“电车走的路线不对，是和摄影棚相反的方向!”

他用力吞了下口水，我能看出他眼中的惊慌。“咱们怎么办呢?”他压低声音问。

“必须下去!”我答道，“我们得跳车!”

马蒂缩在座位上，身体低到不能再低，我估计他是下

意识地想躲开那些骷髅。

他听我说到跳车，便抬起头向车外看了看。“艾琳——没法跳呀!”他苦涩地说，“车开得太快啦!”

他说得没错。

电车简直是在路上飞行，而且越来越快，树林和灌木丛黑影般从车旁掠过，一片模糊。

这时，电车嗖地转了个急弯，一栋高大的建筑突然横亘在前面的路上，仿佛从天外飞来的一样。

这是一栋城堡式建筑，全部笼罩在不停旋转的射灯下，通体呈银灰色。对称的两座塔楼直插天空，坚固的石头外墙矗立在道路上。

路……

路转了个弯后，笔直地伸向了城堡的墙壁，路的尽头就在墙下!

而电车呼啸着沿路向前冲去，仍在不断加速!

呼啸着，冲向城堡!

白骨骷髅吱呀乱叫，干涩刺耳的笑声一直不停。他们在座位上摇晃着，骨头架子哗啦乱响，兴奋地等待着电车撞上墙壁的那一刻。

近了，更近了。

就要撞上了！一头撞到坚硬的石墙上!

眼看就要在石墙上撞个粉身碎骨!

24 重返惊魂街

我双腿颤抖，心脏剧烈跳动，但还是勉力在座位上站了起来。

我做了个深呼吸，然后憋了一口气，把眼睛闭上——一纵身跳了下去。

我身体侧面着地，在地上重重地摔了一下，然后向前滚了出去。

我看到马蒂迟疑了片刻，电车一个颠簸，他借势从侧面跳了下来。

他腹部着地，撞击的冲力让他的身体翻了个个儿，接着又滚了开去。

我滚到一棵树下才停住，转头望向城堡——正好来得及看到电车撞上石墙。

没有发出一丝声响。

车头撞到墙上，直接穿了进去！

无声无息。

我看到一个个骷髅头摇颤着，晃动着。

我看到下一节车厢，接着又是一节——全部钻进城堡的墙壁，瞬间从眼前消失，没有发出任何声息。

瞬间，整个电车都隐没在了墙后。

道路瞬间被寂静笼罩。

连照在城堡墙上的射灯好像也暗淡下来。

“艾琳——你没事吧？”马蒂有气无力地问。

我转头看到他在路的另一边，跪在地上，手支着地面。我挣扎着站起身，肋部擦破了，但伤得并不严重。

“我没事，”我对他说，然后用手一指城堡道，“你看到了吗？”

“看见了，”马蒂说着缓缓地站起来，“但是我没法相信自己的眼睛。”他伸了伸胳膊，继续说道，“电车怎么会穿过墙壁？你觉得那里真有座城堡吗？会不会是光线造成的假象？或是个障眼法之类的东西？”

“想知道答案很简单。”我对他说。

我们并肩向路的尽头处走去。四周都是风吹过树木发出的沙沙之声。光脚踩在路面上，感觉好凉。

“一定得找到我爸爸，”我轻轻地说，“我相信这一切他都会有个说法。”

“希望如此。”马蒂喃喃地答道。

我们走到城堡之下，我伸出双手，以为会穿墙而过。

可我的手掌居然拍在了坚硬的石头上。

马蒂把肩膀放低，侧身向墙壁撞去，发出一声闷响。

“真是墙壁，”马蒂摇摇头说，“既然是真墙，电车又怎么能穿过去?”

“那是一辆幽灵电车，”我双手摸着冰凉的石墙，轻声说道，“是一辆坐满骷髅乘客的幽灵电车。”

“可我们竟然还坐了一段路!”马蒂叫道。

我双手用力拍了一下石墙，猛地转回身来。“我再也受不了这样的怪事了!”我哭喊道，“我不想再被吓到!我受够了狼人，受够了怪物!我这辈子再也不想看什么恐怖电影啦!”

“这一切你爸爸都能解释，”马蒂点着头，柔声说道，“我肯定他能!”

“我不需要他的解释!”我叫道，“我只想离开这个鬼地方!”

我和马蒂紧挨在一起，小心翼翼转到城堡侧面。身后传来不知什么野兽的嚎叫声，头顶上方，同时响起可怕的咯咯怪叫。

我下定决心，无论什么声音，一律置若罔闻。我不想再去猜测发出这些声音的是真正的怪兽，还是有人装神弄鬼；我不愿再想起曾经遭遇的那些怪物以及让我和马蒂九死一生的那些危机。

我根本什么都不愿想!

在城堡背后，我们又看到了路。“希望方向没搞错。”我喃喃低语，顺着路径向山坡走去。

“但愿没错吧。”马蒂的声音细得像蚊子。

我们走在路中央，逐渐加快了步伐，一路上竭力不去理会野兽的尖叫和嘶吼，不去管那些听起来似乎一直跟在我们身后的呻吟和咆哮。

道路向上延伸，我和马蒂身体前倾，爬上山坡，可怕的嚎叫声也跟着我们来到山上。

到达山顶，眼前出现了几栋低矮的建筑物。

“好啦!”我叫道，“马蒂——你看！前边肯定是我们出发的站台!”我蹦蹦跳跳向那几栋建筑物奔去，马蒂小跑着跟在我身边。

片刻后，我们停下脚步，同时意识到自己来到了何处。

惊魂街。

我们兜了个大圈子，又回到了惊魂街!

隔着几栋老房子和几间小店铺，进入我们视线的，赫然是惊魂街墓地。看着墓地的栅栏，我又想起那些破土而出的绿手，那些碧绿的肩膀、碧绿的面孔。那些手抓住我们，把我们用力地向下拉，向下拉。

我禁不住浑身哆嗦起来。

我不想回到这里，我再也不想看到这条恐怖的街道。

但我的视线已经无法从墓地移开。就在我隔着街道向墓地中那些破旧的墓碑望去的时候，有什么东西突然动了一下。

是一团灰雾，像一团小小的云朵。

它在两块残破的墓碑之间升起，无声无息地在空中飘浮。

然后，另一团灰色的东西飘起来，接着又是一团。

我瞧了一眼马蒂。他站在我旁边，两手僵硬地叉在腰上，眼睛直勾勾地看着前方。显然他也看到了。

一团团灰色的东西无声地飘起，看起来像雪球，或者是棉花，在墓碑间飘飘荡荡，一共有十几个。

它们飘出墓地，飘到了街上。

它们飘到我和马蒂头顶，压得极低，几乎要碰到我们的脑袋。

正当我们目瞪口呆的时候，它们开始像灰色的气球一样，越胀越大。

这时，我看到每个灰球中，都隐着一张面孔，非常阴暗的面孔，就像“月中人”那样，以浓黑的线条勾勒出来。这些面孔阴沉地注视着我们，他们看起来异常苍老，满脸褶皱。他们眉头紧锁，眼睛凝成一道道细细的黑缝。在一个个鼓鼓胀胀、巨型泡芙球般的灰白气团中，这些面孔不屑地瞪着我们。

我紧紧抓着马蒂的肩膀，我只想赶紧跑，逃离这些悬在头上的怪物。

但是，这些藏着可怕面孔的气团，像烟雾一样，骤然向下方飘动，绕着我们转起了圈子，把我们围在当中。

这些丑陋的、横眉立目的面孔，围绕我们旋转着，旋转着，越转越快，好似将我们包裹在一圈旋转的浓雾当中。

25 人？机器人？

我双手捂住眼睛，不想再看了。

我已经吓得不知所措，无法思考，无法呼吸。

耳中只听到这些鬼一样的团团雾气绕着我们飞转，带动气流，发出呼啸之声。

就在这时，在呼啸的气流声当中，我听到一个男子的声音：“停！就打印这个画面！大家干得漂亮！”

我慢慢放下手，把眼睛睁开，呼的一声吐出口长气。

一个人大步向我和马蒂走来，他穿着牛仔裤和灰色运动衫，外面罩着一件棕色的皮夹克，头上歪戴着一顶蓝白色的道奇队棒球帽，下面露出一条金色的马尾辫。

他一手拿着块剪贴板，脖子上挂着银色的哨子，微笑地看了看我和马蒂，然后朝我们晃了晃大拇指。

“嗨，小家伙们，你们好吗？我是拉斯·丹维。你们表现得不错，看起来真是吓得够呛!”

“啊?”我叫道，下巴都快掉下来了，“我们何止吓得够呛!”

“真开心，总算看到一个真正的活人了!”马蒂大声说。

“这个游览——这个游览糟透了!”我尖声叫道，“那些怪兽——他们都是活的，真的想伤害我们！真的！一点意思都没有！根本就不像是游览!”我连珠炮似的说道。

“太可怕了！那些狼人真的是想咬我们，追得我们连墙都跳了!”马蒂说。

我们俩一起叽里呱啦地说开了，迫不及待地要把一路上所有可怕的遭遇都向这个叫丹维的人讲一遍。

“哇塞！哇塞!”他那五官端正的脸上笑意盎然，举起手中的剪贴板，好像要用它来挡住我们嘴巴里射出的子弹，“小家伙们，那些东西都是电影特效。没人对你们讲过我们正拍一段影片吗？拍的就是你们俩的反应!”

“没有！丹维先生，谁也没对我们说过!”我气愤地答道，“是我爸爸把我们带到这儿来的。整个游览都是他设计的，他还说让我们打头阵，先试玩一下呢。可他没说过这里在拍什么影片，我觉得……”

马蒂把手放在我的肩头，我知道他想让我冷静下来，但我此时不需要冷静。

我只有愤怒。

丹维先生转回头，对站在街上的工作人员说："伙计们，晚饭时间，休息三十分钟！"

他们聊着天走开了。丹维先生又回头看着我们说："你父亲应该跟你们说明——"

"没关系的，真的！"马蒂打断他的话说，"我们只是有点吓到了而已。那些怪物看起来全都太逼真了，再说我们身边一个人也没有，整个下午，你是我们碰到的第一个真正的活人！"

"我爸爸肯定很着急了，"我对丹维导演说，"他说过会在主站台等我们，你能告诉我们怎么去那里吗？"

"没问题！"丹维先生用手中的剪贴板一指，"看到那座开着门的大房子没有？"

我和马蒂向街对面的那栋房子看去。房前一条小路，前门敞开，露出淡黄色的灯光。

"那是电击魔的电击房，"导演解释说，"从前门进去，然后从房子直穿过去。"

"但是我们不会被电击吧？"马蒂问，"在电影里，凡是走进电击魔房子的人，都会被两千万伏的高压电电倒！"

"电影里才会那样！"导演说，"那房子只是电影布景而已，完全没问题。穿过房子，从后面出来，街对面就是主楼，一眼就看到了。"

“谢谢你！”马蒂和我同声说道。

马蒂转过身，立马向那栋房子跑去。

我转头对丹维说：“很抱歉刚才跟你发脾气，我是吓得太厉害了，而且我以为——”

我倒抽了一口冷气，把剩下的话咽回了肚里。

丹维先生此时已经转过身，背对着我，我看到……看到他的背上插着一根长长的电线！

他不是真人，也不是什么导演！他只是个机器人！

和其他的怪物一样，他也不是真正的活人！他在骗我们，对我们撒谎！

我掉头就跑，双手拢在嘴边，疯狂地对着马蒂的背影喊道：“别进去！马蒂——停下来！别进那个房子！”

但是太晚了。

马蒂已经跑进了门口。

26 电击小屋

“马蒂——等一等！停下来！”我一边跑一边大叫。

我必须阻止他。

导演是假冒的，我知道他说的肯定是假话。

“马蒂——求求你啦！”

我的光脚板猛蹬着路面，冲上通往那栋房子的小路。此时，马蒂已经跑进了门廊。

“停下！”

我纵身向门廊一跃，双手伸出，拼命想抓住他。

却抓了一个空。

我跌了下来，腹部着地撞在门廊的地面上。

马蒂刚一进屋，就见白光一闪，同时传来一阵很响的吱吱声以及噼啪的电火花声。

屋中霎时好像亮起了一道闪电，明晃晃地逼得我只好用手遮住眼睛。

等我睁开眼睛，只见马蒂脸朝下趴在地上。“不——”我发出一声惊恐的尖叫。

我惶急地站起来，向屋子里冲去。

我会不会也遭到电击？

我顾不了这么多了！我必须赶到马蒂身边，必须把他救出来！

“马蒂！马蒂！”我反复不停地呼喊着他的名字。

他一动不动。

“马蒂——求求你了！”我扳着他的肩膀，用力摇晃，“马蒂，醒醒！醒一醒，马蒂！”

他依旧紧闭着眼睛。

我突然感到一阵凉意。地面上，多出了一道黑影。

我这才意识到，屋里还有别人！

27 爸爸帮帮我

我倒吸了口冷气，猛转身向后看去。

是电击魔？还是什么别的恐怖的怪物？

一个瘦长的身影，俯身站在我面前。我凝目向黑暗中望去，努力想看清他的面孔。

“爸爸!”我欢快地叫了一声，当他靠近之后，我终于看清了他是谁，“爸爸，真的是你!”

“艾琳，你怎么在这里?”他悄声问。

“马蒂，马蒂出事了!”我泣不成声地说，“你一定得救救他，爸爸。他被电倒了——他——”

爸爸身体俯得更低，他忧心忡忡地皱着眉头，在眼镜片后面，他棕色的眼睛看起来是那么的冷淡。

“快帮帮忙吧，爸爸!”我哀求道，“马蒂受伤了，他一动也不动，连眼睛都闭上了！电影世界太可怕了，爸爸！肯定出了问题，可怕的大问题!”

他没有回答我的请求，只是靠得更近。

终于，淡黄的灯光照在了他的脸上，这时我才看清，他根本不是我的爸爸!

“你是谁?”我声嘶力竭地叫道，“你不是我的爸爸!你怎么不帮帮我？你怎么不帮帮马蒂？做点什么吧——求求你了！我爸爸在哪儿？他在哪儿？你是什么人？帮帮我吧！谁来帮我呀？帮帮……帮……爸……爸……”

28 我是机器

怀特先生俯视着艾琳和马蒂，不满意地摇摇头，闭上眼睛，长长地叹息一声。

摄影棚的工程师之一贾雷德·柯迪司跑进了电击房。“怀特先生，你的两个小机器人出了什么状况?”他问。

怀特先生又叹了口气。“程序问题。”他喃喃地答道。

名叫艾琳的机器人，直挺挺地跪在机器人马蒂身边。怀特先生指着艾琳说：“我只能把她的电源关掉，肯定是记忆晶片出了问题，按照程序，她应该认为我是她父亲的，但她刚刚却不认识我了。”

“马蒂怎么了?”贾雷德问。

“彻底坏掉了，”怀特先生答道，“我估计可能是电路板烧了。”

“真糟糕!”贾雷德说着弯下腰，把马蒂翻了个身，他拉起马蒂的T恤衫，拨弄了几下他背上的几个旋钮，“怀特先生，让机器人儿童对公园进行试游览可真是个不赖的主意。我想它们还是能修好的!”

贾雷德掀开马蒂背上的一块盖板，仔细看着上面红、绿两色的软线。“其他的动物、怪兽和机器人全都表现得很棒，一点毛病没有!”

“我昨天就该知道会有问题的。”怀特先生说，“那时我们在办公室，艾琳问起了她的妈妈，她完全是我设计的，程序中根本就没有妈妈。”

说着，怀特先生双手一摊，又接着道：“不过，没关系。我们会给他们重新设定程序，再装上新的晶片，很快就又和新的一样了。在真正的孩子进主题公园游览之前，我们再让这两个机器人对惊魂街摄影棚进行一次试游。”

他从贾雷德手上接过马蒂，扛在肩上，然后提起艾琳，甩到另一边肩膀上，一边哼着小调，一边扛着他们向工程技术楼走去。

面具夺魂Ⅱ

1 公猪队的恶魔

不知道你有没有跟一年级的小孩子在一起待过，形容他们只有一个词合适，这个词就是：畜生。

一年级的孩子都是畜生。

我这话没错。

我名叫斯蒂夫·鲍斯威尔，在读六年级。也许我不是胡桃路中学最聪明的家伙，但有一件事我是知道的：一年级学生都是畜生。

这件事我是怎么知道的呢？是通过一个非常艰苦的方式。我知道这件事，是因为每天放学以后，我都要教一年级的小孩踢足球。

你可能想问，我为什么要教他们踢足球。嗯，不是我要的，我是被罚的。

有人把一只松鼠放进了女生更衣室里，这个人就是

我。但是，这个馊主意可不是我出的啊。

我最要好的朋友恰克·格林抓到了那只松鼠，然后他问我，觉得在哪儿把它放了好。

我说：“在星期二的女生篮球赛开始以前，放到女生更衣室里怎么样?”

好吧，也许这主意有一半是我的，但恰克的责任和我一样多。

当然，我是被逮住的那一个。

我把松鼠从盒子里放出来的时候，被体育老师科迪小姐逮个正着。松鼠冲过整个体育馆，一直冲到看台上。上面的同学全都惊慌得跳了起来，像疯了似的，哇哇大叫着在它后面追。

不过是一只傻乎乎的松鼠，可是全体师生都发动起来，跟着它一路猛追，老半天才把它抓住，让大家安静下来。

就为这，科迪小姐发话，一定要惩罚我。

她给我两个选择：第一，每天放学以后，到体育馆里去给篮球打气——用嘴——直到把我的头吹爆为止。第二，带一年级的足球队。

我选第二。

错误的选择。

本来，我的朋友恰克应该帮我一起训练球队，但是他对科迪小姐解释说，放学以后他要去做兼职。

你知道他的兼职是什么吗？是回家，然后看电视。

很多人以为，我和恰克之所以成了死党，是因为我俩长得太像了。我们都是瘦高个儿，都长着褐色的直发，还有深褐色的眼睛，一天到晚都戴着棒球帽。有时候，人们还以为我们是兄弟俩！

但这不是我喜欢恰克而恰克也喜欢我的原因。我们俩之所以能成为死党，是因为我们能逗得对方哈哈大笑。

恰克告诉我他的兼职是什么的时候，我笑得要命。但是现在，我怎么也笑不出来了。

我在祈祷。

每一天我都祈祷老天爷下雨。下雨的话，一年级的足球训练就取消了。

今天很倒霉，是十月里一个晴朗灿烂的好日子。我站在学校后面的运动场上，抬头在天上寻找云彩——什么云都好——可看到的只有一片蔚蓝。

“好了，听着，公猪们！”我喊了一声。我不是在拿他们逗乐取笑，这就是他们给自己的球队选的名字。你能相信吗？胡桃路公猪队。

你大概知道这些孩子是什么人了吧？

我把手圈在嘴边，又喊了一句：“站好队，公猪们！”

安德罗·维斯狄抓起我挂在脖子上的哨子，照着我脸就吹。“鸭子”本敦重重一脚，踩在我新买的运动鞋上。大家都叫他“鸭子”，因为他整天嘎嘎叫个不停。他和安德罗都以为做这种事很搞笑。

然后，玛琳在我背后跳起来，一把抱住我的脖子，爬到了我的后背上。玛琳顶着满头红色的鬈发，满脸雀斑，她的笑声是我所见过的孩子中最淘气的。“让我骑一下，斯蒂夫!”她嚷道，“我要骑!”

“玛琳……下来!”我大叫着，想解开她缠在我脖子上的胳膊，她快勒死我了。公猪们笑成一片。

“玛琳……我……喘不了……气!”我上气不接下气地说。

我弯下腰，想把她从背上甩下来，但她把我搂得更紧了。

接着，我感觉到她的嘴唇向我的耳朵凑了过来。

“你想干什么?”我大声嚷道。她想亲我还是怎么的?

呸!她居然把泡泡糖吐进了我的耳朵眼儿里。

然后她哈哈大笑，笑得像个发狂的恶魔一样，从我身上跳了下来，一溜烟地在草地上跑开了，红色的鬈发在脑后一蹦一跳的。

“别闹了!”我恼怒地喝道。紫色的糖胶粘在耳朵里，好不容易才掏干净。

等我掏完的时候，他们已经踢开了练习赛。

你看过六岁的毛孩子踢足球吗？就是追上去踢，追上去踢。人人都追着球，人人都想踢到它。

我想教会他们把守各自的位置，想教会他们传球，想教他们怎么合作，但是，他们脑子里想的，只是追上去踢，追上去踢。

这倒也不错，只要他们不来烦我就好。

我吹着口哨做起了裁判，想让比赛继续下去。

安德罗·维斯狄从我身边跑过，朝我的牛仔裤踢了一大块土。他假装是不小心的，但我知道他是有意向我挑衅的。

“鸭子”本敦和詹妮·迈厄斯你推我搡地动起手来。“鸭子”老跟他爸爸一起看曲棍球比赛转播，把打架当成了比赛的家常便饭。有时候，“鸭子”根本不去抢球，只是专门找架打。

我让他们追球踢球地玩了一个小时，然后吹起口哨，宣布训练时间到。

训练从头到尾都进行得挺好，只出现了一只流血的鼻子，这就意味着已经很圆满了，因为那鼻子不是我的！

“好了，公猪们——明天见！”我喊了一句，便小跑着向运动场外跑去。他们的家长和保姆应该已经在学校门前等候他们了。

忽然，我发现好几个孩子在场地中央围在一起，个

个脸上笑嘻嘻的，我想我还是应该去看看他们想干什么。

“怎么啦，伙计们？”我又大步跑回他们身边。

几个孩子退开了，我看到草地上摆着一个足球。玛琳·洛森的雀斑下绽开一个笑脸：“嘿，斯蒂夫，你能从这儿射门吗？”

其余的孩子从球边散去了，我看了看球门，好远，至少隔了半个足球场。

“开什么玩笑？”我问他们。

玛琳脸上的笑容不见了：“不是开玩笑，你离这么远能射中大门吗？”

“不可能！”“鸭子”本敦喊道。

“斯蒂夫可以的，”我听到詹妮·迈厄斯说道，“比这更远的斯蒂夫都可以呢。”

“不可能！”“鸭子”固执地说，“太远了，即使六年级的人也办不到。”

“嘿——这有什么难的，”我大言不惭地说，“为什么不找点更有难度的事让我做？”

我偶尔还得露两手给他们瞧瞧，要让他们知道我比他们有能耐。

于是，我走到球的后面，往后退了八到十步远，留出一大段助跑的距离。

“好了，小子们，看看高手是怎么踢的!”我喝道。

我向球冲了过去，向后猛地一甩腿。

狠命地一踢。

接着便愣住了。

然后，在惨痛中，发出长长的、凄厉的号叫。

2 复仇，我要复仇！

几分钟之后，我走在回家的路上，正好从朋友恰克的家经过。恰克沿着砾石车道向我跑了过来。

我不想跟任何人说话，连朋友都不想。

但他已经来了，我还能怎么样呢？

“哟——斯蒂夫！”他停在车道中间，“怎么回事？为什么你走路一脚高一脚低的？”

“水泥。”我简直是苦不堪言。

他揭下黑红两色的芝加哥小熊队棒球帽，捋了一下又浓又密的褐发：“啊？”

“水泥，”我有气无力地重复了一句，“那些小孩弄了一个水泥足球。”

恰克眯缝着眼睛凝视着我，看得出来他还是一头雾水。

“有个孩子住在学校对面，他和他的朋友们把一个水泥球滚到了学校里面，”我向他一一道来，“然后把它涂上黑色和白色，弄得像个足球一样，摆在球场上，然后叫我射门……然后……然后……”我喉咙一紧，说不下去了。

我一瘸一拐地走到恰克家车道边的山毛榉树旁边，靠在它清凉的白色树干上。

“嗬，这个玩笑开得可不好。”恰克说着把帽子又戴回到头上。

“还用你说吗，”我苦着脸说，“我脚上的每根骨头好像都断掉了，连我没有的骨头也断了。”

“这些小孩简直是一群畜生！”恰克说。

我哼哼唧唧地揉着疼痛的脚板。脚并不是真的断了，但确实疼，很疼。我移了移肩上的书包，向后倚在树上。

“知道我现在想干什么吗？”我问恰克道。

“想报仇？”

“说对了！”我答道，“你是怎么知道的？”

“蒙的呗。”他走到我身边，看得出来，他正在动脑筋。恰克只要一想问题，那张脸就会皱成一团。

“快到万圣节了，”最后他开口说道，“也许我们可以想办法吓吓他们。我是说，真的很吓人的办法。”他深色的眼睛里开心地发出光来。

“呃……恐怕是这样吧，”我有点迟疑，“他们还是毛孩子，我不想做得太过分。”

书包有点怪怪的——太鼓了。我把它从肩膀上拿下来，放在地面上。

然后弯腰把拉链拉开。

大约有上亿根羽毛飘了出来。

“这些小孩——”恰克大叫一声。

我把书包整个拉开，发现课本上、作业本上，全都粘满了一层羽毛，全是那群畜生用胶水粘上去的。

我扔下书包，将脸转向恰克：“也许我真的要干出过分的事了！”

几天过后，恰克和我一起从运动场回家。那是一个寒冷而刮着大风的下午，黑压压的雨云在远处聚集。

雨云来得太迟，帮不上我的忙，公猪队下午的训练已经结束了。

这次的训练不坏也不好。

刚一开始，安德罗·维斯狄就低着脑袋，飞快地冲到我身上。他大概有一千磅重，而且有一颗坚硬无比的脑瓜。他正正地撞到了我的肚子上，将我撞得魂魄齐飞。

我在地上滚了好久，一边哼哼，一边呛咳，一边大口喘息。所有小孩都觉得这个场面很搞笑，安德罗声称，他不是故意的。

我一定要报复你们这些家伙，我在心中暗暗发誓，办法我还没想好，但一定能好好整整你们。

这时，玛琳·洛森跳到我背上，把我新买的厚外套的领子扯了下来。

训练结束后，恰克来接我，他早已开始这样了，因为他知道，跟一年级学生在球场上混了一个小时之后，我通常需要人搀扶着才能走回家。

“我恨他们，”我喃喃地说，“你知道怎么写‘仇恨’两个字吗？那就是‘公猪’。”我被扯破的领子在打着旋儿的寒风中拍打着。

“为什么你不让他们用水泥足球训练呢？”恰克正了正头上的棒球帽，给我出主意，“不，等等，我想到了。你可以命令他们轮流当足球！”

“不，不好。”我摇了摇头。天黑了下来，树在摇晃，枯叶在我们身边纷纷落下。

我的运动鞋踩在落叶上，脚底沙沙作响。“我不想让他们受伤，”我对恰克说，“只想吓唬吓唬他们，想把他们吓个半死。”

风刮得越来越冷，一颗冰凉的雨滴落在了我的额头上。

过马路的时候，我看到路对面走着两个女孩。我认出

了那条一甩一甩的黑色马尾辫，那是萨布丽娜·梅森，她正快步走在人行道上，在她旁边，是她的朋友嘉丽·贝丝·考德威。

“嘿——”我朝她们叫了半句，随即停住了。

一个念头闪进我的脑海中。

看到嘉丽·贝丝，我想出了吓唬那些一年级学生的办法。

3 嘉丽的头呢?

我正想大声叫那两个女孩，但恰克一把将我的嘴捂住，把我拉到一棵很粗的树后面躲了起来。

“喂——把你黏糊糊的爪子拿开，出什么大不了的事啦?”我叫了起来，他终于拿开了手。

他将我按在粗糙的树干上。“嘘——她们没有发现我们。”他用眼神示意，他指的是那两个女孩。

“那又怎样?”

“那我们就可以偷偷摸摸跟上去，吓她们一大跳，”恰克悄声说道，黑褐色的眼睛里坏坏地闪着兴奋的光，“咱们去把嘉丽·贝丝吓得哇哇大叫。”

“你是想怀旧吗?”

恰克点点头，咧嘴一笑。

有好多年，让嘉丽·贝丝尖叫已经成了我们的一个兴

趣爱好。这是因为她是一个尖叫高手，一点点小事都会让她尖叫起来。

去年有一天，在学校餐厅，恰克把一条蚯蚓塞进了自己的火鸡肉三明治里，然后把它给了嘉丽·贝丝。

她咬了一口就发现味道不对，当恰克把被她咬断的那截蚯蚓拿给她看时，她足足尖叫了有一个星期。

恰克和我曾经打赌，看谁能把嘉丽·贝丝吓得最惨，谁能让她尖叫。我想这样有点儿过分了，但确实也很好玩。

有时候，当你知道一个人动不动就会尖声大叫时，那就实在没办法，只好尽量多吓吓他。

然而，自从去年万圣节以后，一切都改变了。

去年万圣节，恰克和我被吓惨了。嘉丽·贝丝戴了一个极其恐怖吓人的面具，我从来没有见过，那简直不是面具，它更像一张活人的脸。

它无比狰狞，却又栩栩如生，它那双活灵活现的、邪恶的眼睛望着我们，两片真正的嘴唇向我们咧开。它的皮肤恶心地闪着绿光，而嘉丽·贝丝平时轻柔的嗓音却发出了恐怖的动物怒吼之声。

恰克和我没命似的逃跑了。

不是开玩笑，我们吓得半死。

我们狂呼乱叫着跑了好几个街区，那是我一生中最闹心的夜晚。

差不多这一年来，我们再也没有去吓唬嘉丽·贝丝。我想，嘉丽·贝丝不是那么好吓唬的，再也不是了。

自从去年万圣节以后，我觉得似乎什么东西都吓不着她了。

她根本什么都不怕，一年当中，我连她的一次尖叫都没听到过。

所以，现在我根本不想去吓她，我只想跟她聊一聊，说说她那个吓人面具的事。

但恰克把我按在树干上不放。“来呀，斯蒂夫，”他小声说，“她们没看到咱俩，我们躲在树篱后面，猫着腰跑到前头去，等她们一走近，就跳出来抓她们。”

“我真的不想——”我说了一半又打住了，但看得出来，恰克一心想吓唬嘉丽·贝丝和萨布丽娜，于是只好顺着他，躲了起来。

天上下起了霏霏细雨，大风裹着雨点打在我脸上。我跟着恰克，弯下腰，伏得低低的，沿着树篱向前走。

我们悄悄走到那两个女孩的前面，再继续向前走去。萨布丽娜的笑声从后面传来，然后嘉丽·贝丝说了句什么，萨布丽娜又笑了。

我很好奇她们在聊什么，于是停下来，从树篱缝里望出去。嘉丽·贝丝脸上的表情好生怪异，一双深色的眼睛直直地望着前方，走路的姿势也很僵硬，蓝色羽绒衣的领子高高地竖着，挡住了她的脸。

女孩们走近了，我又猫着腰向前挪，转了一个弯儿之后，我发现自己和恰克已经站在了卡彭特老宅前宽阔的草坪上。

我越过野草丛生的草坪，向那幢古老阴森的宅第看去，不由得打了个寒噤。房子被浓浓的黑暗遮隐着。大家都说，这是一幢鬼屋——一百年前有人被杀死在里面，冤魂到今天还在里面徘徊不去。

我不相信这个世界上会有什么鬼，不过，我也不想离阴森残旧的卡彭特大宅这么近。

我把恰克拉进邻居人家的空地上。雨点拍打着地面，我擦去落在眉毛上的雨滴。

嘉丽·贝丝和萨布丽娜离我们只有几米远了，我能听到萨布丽娜正兴高采烈地说着什么，但听不清。

恰克向我转过脸来，露出坏透了的笑容。“准备好了吗?”他悄声说道，“行动!”

我们蹭地站起身，双双跳了出去，放开喉咙用最高的音量尖叫。

萨布丽娜吓得倒吸了一口冷气，高举双手，下巴差点儿掉下来。

嘉丽·贝丝直直地盯着我。

然后，她的头在蓝色外套的领子里一歪——歪向一边，并且掉了下来。

她的头从肩膀上掉了下来。

落到地面，然后又弹到草地上。

萨布丽娜望向地面，目瞪口呆，惊恐万状地看着嘉丽·贝丝掉下来的脑袋。

然后她双手乱挥，张开嘴，发出惊恐的尖叫，一声又一声的尖叫。

4 吓人的面具

我使劲咽了咽口水，两腿直发软。

嘉丽·贝丝的头在草地上，仰面朝天地瞪着我，我满耳朵都是萨布丽娜的尖叫。

这时，我听到了一阵很轻很轻的笑声，从嘉丽·贝丝的外套里传出来。

竖起的衣领里翘起一缕棕色的头发，然后，嘉丽·贝丝笑开了花的脸从外套里倏地伸了出来。

萨布丽娜收起了歇斯底里的尖叫声，哈哈大笑起来。

“你上当啦！”嘉丽·贝丝大叫一声，和萨布丽娜一起笑得前仰后合，像两个疯子一样抱在一起。

“啊，哇塞！”恰克说不出话来。

我的膝盖还在哆嗦着，整个过程里，我好像连一口气都没敢喘。

我猫下腰，把嘉丽·贝丝的头捡起来，原来是个假头，我猜那是雕塑。我把它捧在手里翻来覆去看了一会儿。真不可思议，这个假头跟她简直一模一样。

“是熟石膏做的，”嘉丽·贝丝把它从我的手里抢了回去，“是我妈妈做的。”

“可是——那真是栩栩如生啊！”我涩涩地说道。

她咧嘴一笑：“妈妈越来越厉害了，她反复地塑我的头像，做了一个又一个，这个是最好的。”

“还行，只不过没骗到我们。”恰克说。

“嗯，我们就知道它是假的。”我赶紧加上一句，但是，说这话时，我的声音还是哑哑的，震惊还没有完全过去。

萨布丽娜摇摇头，黑色的马尾辫甩了起来。她很高，比我和恰克还高。嘉丽·贝丝却是个小不点儿，只有萨布丽娜的肩膀那么高。

“你真应该看看自己那副表情！”萨布丽娜高声说，“我觉得你的头好像也要掉下来了！”

两个女孩再次热烈拥抱，又忍不住笑了起来。

“隔老远我们就看到你们了，”嘉丽·贝丝说着，两手转着那颗脑袋，“幸好我今天带了这颗头来上美工课，所以我就用外套蒙着头，萨布丽娜把这颗石膏头塞进了我的衣领里。”

“你们俩可真不经吓。”萨布丽娜奚落我们说。

“我们没害怕，真的，”恰克嘴硬地说，“只是配合你们玩一玩。”

我想改说点什么别的。如果一直说下去，这两个女孩可以整日整夜地说我和恰克的傻样儿，我可不想这样。

雨一直下，被大风吹得乱纷纷的，我打了个哆嗦，大伙儿全都淋湿了。

“嘉丽·贝丝，还记得去年万圣节你戴的面具吗？是从哪儿弄来的？”我假装漫不经心地问了一句，不想引起她的注意。

她把石膏头搂在胸前：“啊？什么面具啊？”

我哼了一声。有时候她简直傻透了！

“去年万圣节你戴的那个很恐怖的面具啊，从哪儿弄来的？”

她和萨布丽娜互相使了个眼色，然后说道：“我忘了。”

“别骗人了！”我不满地说。

“不，真的——”她毫不松口地说。

“你肯定记得，”恰克对她说道，“但就是不愿告诉我们。”

我知道为什么嘉丽·贝丝不想说。她也许想从同一家商店再买一个真正惊悚的面具，准备今年的万圣节用。她想当全镇最恐怖的小孩，所以不想我也有那么恐怖。

我转向萨布丽娜："你知道她是从哪儿买的吗?"

萨布丽娜在嘴唇上比画了一个拉上拉链的动作："我不会说的，斯蒂夫。"

"你不会想知道的，"嘉丽·贝丝说道，依然搂着那颗头，"那个面具太可怕了。"

"你就是想比我更吓人而已，"我不高兴地答道，"可是今年我真的需要一个足够吓人的面具，嘉丽·贝丝，我想吓唬几个小孩……"

"我没跟你开玩笑，斯蒂夫，"嘉丽·贝丝不等我说完，就抢话说，"那个面具很古怪，它不是一个普通的面具，它活了，紧紧贴在我的头上脱不下来，可能是有幽灵附体什么的。"

"哈哈。"我勉强笑了一下，转了转眼珠。

"她说得没错!"萨布丽娜眯起眼，看着我说道。

"那个面具很邪恶，"嘉丽·贝丝接着说道，"它对我发号施令，还自己说起话来，声音又哑又沉，很可怕。我控制不了它，又脱不掉它，它紧紧地贴在我的头上！我……我吓坏了!"

"哟，哇塞!"恰克摇摇头，喃喃说道，"你的想象力还真不错，嘉丽·贝丝。"

"编得不错，"我说，"还是留到语文课上再编吧。"

“是真的!”嘉丽·贝丝叫道。

“你就是不想让我也有吓人的面具，”我不满地说，“可是我真的需要一个和那个一样吓人的面具，说吧，”我乞求地说，“告诉我吧。”

“说啊。”恰克说。

“说。”我又说一遍，故意让语气强硬了一些。

“不行，”嘉丽·贝丝摇了摇那颗又小又圆的假头，“回家吧，雨很大了。”

“说完才让走!”我说着抢先一步，拦在她面前。

“抢那颗头!”恰克大叫。

我从嘉丽·贝丝手里一把抢走石膏头像。

“还给我!”她尖叫着伸手来抢，但我闪开了，然后把头扔给了恰克。

他转身就跑，萨布丽娜追了上去。“还给她!”

“把买面具的地方说出来，我们就还给你!”我朝着嘉丽·贝丝说。

“没门儿!”她大声说。

恰克把头向我扔来，嘉丽·贝丝扑上去抢，但我接到了它，然后又扔回给了恰克。

“还给我！真的!”嘉丽·贝丝向恰克追过去，“那是我妈妈做的，如果搞坏了，她会要我的命!”

“那就告诉我在哪儿买的面具!”我毫不妥协地说。

恰克把头扔向我，萨布丽娜跳起来一拍，它落向地面，她急忙弯腰去捡，但慢了我一步。我把头从草地上捡起来，又扔给了恰克。

“住手！还给我！”

两个女孩愤怒地高声尖叫，但恰克和我就这么你扔给我，我扔给你，不让她们拿到。

嘉丽·贝丝不顾一切地朝石膏头扑去，结果一跤摔到草地上。她站起来，外套的前襟和牛仔裤全都湿了，额头上还沾着草叶。

“说!”我把头高高举起，命令道，“说，然后就还给你!”

她怒气冲冲地看着我。

“好吧，”我吓唬她说，“看来我得把它踢到屋顶上才行了。”

我向立在草坡尽头的房子转过身去，然后双手捧着石膏头，做出就要把它一抛，然后踢到屋顶上的样子。

“好吧，我说!”嘉丽·贝丝说，“别踢，斯蒂夫。”

我仍然把头摆在身前：“在哪儿买的?”

“离学校几个街区的地方，有一家很古怪的卖派对玩具的小店，你知道吗?”

我点了点头。这个小店我见过，但从没进去过。

“我就是在那儿买到的。它有一间后屋，里面全是又丑又怪的面具，我那个就是在那儿找到的。”

“行了！”我兴奋地叫了一声，把石膏头还给了嘉丽·贝丝。

“你们俩真讨厌，”萨布丽娜嘟囔了一句，将衣领竖起来挡风，然后把我朝边上一推，擦去草叶在嘉丽·贝丝额头上留下的污渍。

“我真的不想告诉你们，”嘉丽·贝丝无奈地说，“面具的事不是我编的，它真的好吓人。”

“哦，那当然。”我又转了转眼珠。

“拜托，别去那里！”嘉丽·贝丝死死地拽住我的手臂，恳切地说，“拜托，斯蒂夫，请你千万不要去那家玩具店！”

我抽回手臂，乜斜着眼睛，打量了她一下，然后笑了起来。

真可惜，我没有把她的话当真。

真可惜，我没听她的话。

不然的话，那个晚上我也不至于受到无穷无尽的惊吓。

5 派对玩具店

“下来！从我身上下来，玛琳！我是说真的！”我大叫道。

这个红头发的小害人精挂在我的后背上，咯咯笑着，胖嘟嘟的手指掐着我的脖子。为什么她老把我当成刺激好玩的游乐设施？

“下来！这件毛衣很贵的！”我大叫道，“要是被你扯坏了……”

她笑得更欢了。

雨下了一整个晚上，又下了一整个上午。可是到了中午的时候，乌云却散开了，现在天空一碧如洗。我没办法，只能带着公猪队照常训练。

运动场的那一边，“鸭子”本敦正在和安德罗·维斯狄打架。安德罗捡起足球，用尽全力砸中了“鸭子”的肚

子。

“鸭子”猛地张开嘴，猛地喷出一口气，同时还喷出了老大一团泡泡糖。

“下来!”我向玛琳恳求道。我拼命地扭动身子，在地上转圈子，想把她甩下来。如果这件毛衣出了什么问题，妈妈一定会大光其火。

你可能会奇怪，为什么我会穿上最好的蓝色羊毛衫来训练他们踢足球。问得好。

答案是：今天是“班级照相日”，妈妈希望我拍一张很帅的照片，好寄给所有的叔叔婶婶舅舅舅妈。所以，她叫我穿上了这件毛衣，又叫我上学前先用洗发水洗头，还不让我戴欧朗朵魔术队的帽子。

因此，我就像个大傻冒似的过了一整天。现在，足球训练时间到了，可是我却忘记带一件运动衣来替换身上的好毛衣。

“哇——”玛琳在我身上踢了最后一下，跳下地来。

我拉拉毛衣，盼着它没有被扯得面目全非。怒气冲冲的叫喊声传来，我抬眼看去，只见安德罗和“鸭子”正你来我往地挥拳头，还用头互相朝对方冲撞，打得满场飞。

我伸手去拿哨子。

却摸了个空。

玛琳把哨子偷偷拿走了。她高举着哨子，在操场上哈哈大笑着疯跑。

“嘿，你——”我大叫着向这个小贼追了过去。

我跑了三步——运动鞋踩到湿泥里，我脚底一滑，随着一声恼怒的大叫，向前摔了个嘴啃泥。

“不——”我心惊胆战地咆哮起来，“老天爷，不要!”

我站起身来，同时带起了一身的泥巴。我全身上下糊着厚厚的一层烂泥。而那件漂亮的蓝色毛衣呢？现在已经变成了丑陋的褐色毛衣。

我沮丧地哼了一声，跌坐在地，只想从世界上消失，沉进这个大泥坑里，让谁都看不见。

我那帮铁杆队员们，令人讨厌的公猪队队员们，正在起哄，嘻嘻哈哈地看着热闹。真是好孩子，嗯?

至少，我往泥浆里的这一扎让安德罗和“鸭子”停战了。

我慢慢爬起来，身上的烂泥沉甸甸地拉着我直往下坠。我好像变成了安德罗，体重有一千磅。也许确实有一千磅那么重!

我双手擦去眼睛上的泥巴——睁开眼，却看到恰克站在面前。他嘴里发出连续的“啧、啧、啧”的声音，然后说了句：“你的模样可真惨，伙计。”

“你以为我不知道吗?”我喃喃地说。

“你为啥要这样?”他问道。

我在厚达两英寸的泥巴外壳里望着他：“什么?”

“你看上去活像泥潭妖怪一类的东西。”恰克好笑地说。

“哈!”我没好气地干笑一声。

“你叫我到这儿来找你的，斯蒂夫，要我陪你到那家玩具店去买‘那个东西’吗?”

我回头向自己带领的一年级球队看去，他们没有留意我们的对话，正忙着互相扔泥球。

我用手刮着毛衣的前襟，至少刮下十磅的烂泥来。“我……呃……训练完以后，我最好还是先回家换换衣服吧。”我对恰克说道。

那个下午，我是世界上最难熬的人!

我得制止那场泥球大混战，然后还得把这群小天使送到他们的家长和保姆手里。

然后，我还不得不对那些生气的家长和保姆们解释了一番，为什么他们当天的训练会变成泥球大混战，而不是踢足球。

恰克在外面等我，我偷偷地溜进家门，把糊了一层泥巴的毛衣塞到壁橱顶里头，来不及向妈妈作什么解释了。

我换上干净的牛仔裤和叔叔送的灰红两色的乔治城大

学队运动衫。我对这支球队闻所未闻，但这件运动衫酷毙了。

我戴上帽子，盖在沾满泥巴的头发上，火急火燎地去与恰克会合。

“斯蒂夫——是你吗?”妈妈在书房喊道。

“不，不是我!”我大叫一声，赶在妈妈不让我出门以前，关上大门，冲出车道。

我急着想找到那家玩具店，看看里面的古怪面具，急过头了，连钱都忘了带。

和恰克走了两个街区以后，我把手伸进牛仔裤的口袋里去掏钱，这才发现它是空的。于是我们又跑回我家，我再一次偷偷摸摸潜入了自己的房间。

“今天真够倒霉的。”我自言自语。

但是，我知道，只要买到一个绝对恐怖的面具，我立即就会高兴起来。然后我就可以实施自己的报复计划，吓吓那群公猪们。

报复!

多美的词啊!

等我长大，有了自己的车，我要把这个词刻在车牌上。

我从衣橱的抽屉里把藏着的零用钱全部拿出来，飞快地数了数——大约有二十五美元。然后我把钞票一股脑儿

塞进牛仔裤口袋，匆匆走下楼去。

“斯蒂夫——你又要出去吗?”妈妈在书房喊道。

“很快就回来!”我扯着嗓门应了一句，关上大门，跑到车道上与恰克会合。

我们走在路上，运动鞋在湿漉漉的大叶子上不时地滑来滑去。银白色的满月低挂树梢，地上的雨水还没有干透，路面、人行道上到处反着光。

恰克的手缩在连帽运动衫的口袋里，倾着身子向前走。“我快赶不上吃晚饭了，”他嘟囔着说，“估计得挨一顿好训。”

“那也值得。”我的心情好了起来。我们穿过玩具店所在的马路，一家小小的杂货店站在街角处，其他的小店也陆续出现在眼前。

“真想马上看到那些面具!”我高声说道，“只要有嘉丽·贝丝那个面具一半可怕，就……”

它就在那儿!一家小小的方形店铺伫立在黑暗中，我能看到它的招牌，写着：派对玩具店。

“快进去看看!”我大叫一声。

我腾身跳过一个消火栓。

飞也似的越过人行道，来到高大的橱窗前。

向里面望去。

6 面具，我来了

“啊，哇!”恰克上气不接下气地叫了一声，来到我身边。

我们俩将脸紧紧地贴在橱窗玻璃上，朝里面张望。

只看到一片漆黑。

“关门了?”恰克轻声地说，“也许只是打烊了。”

我怏怏地叹了一口气：“不是，它再也不会开门了，这家小店已经关张了。”

隔着灰蒙蒙的玻璃，我看到里面有空荡荡的货架和柜台。一只高高的铁架横躺在中间的过道上，塞满废纸和空汽水罐的垃圾筐摆在柜台的台面上。

“门上没有挂‘停止营业’的牌子。”恰克说。这个朋友真不错，他明白我有多沮丧，这么说是想让我保留一点希望。

“店里是空的，”我叹息着说，“整个儿空了，明天早上也不会开门做生意的。”

“嗯，估计你说得对。”恰克咕哝了一句，拍拍我的肩膀，“伙计——振作点儿，你肯定能在别的商店里找到吓人的面具。”

我离开了橱窗。“我想要一个跟嘉丽·贝丝买的那个一样的，”我怨气冲天地说，“你还记得她那个吧，记得那双闪闪发光的眼睛，对吧？还有那张嘴动起来的样子，露出长长的獠牙朝我们吼叫的样子，那可真叫吓人，而且活灵活现，就像个活妖怪一样！”

“也许老K商店能买到呢。”恰克说。

“拉倒吧。”我嘀咕着，用脚去踢人行道上被风刮得乱跑的糖纸。

一辆小汽车慢吞吞地驶过。车头灯从小店前面扫过去，把空货架和柜台照得清清楚楚。

“咱们还是回家吧，”恰克拉着我要走，“爸爸妈妈不准我天黑以后在镇里乱逛。”

他还说了些什么，但我没听到，我还在想着嘉丽·贝丝的面具，灰心丧气得不得了。

“你不明白它对我是多么的重要，”我跟恰克说，“那些一年级学生把我害惨了，今年万圣节我一定要报仇，一定。”

“他们只是一年级的小孩而已。”他答道。

“不，他们不是，他们是魔鬼，是邪恶的、吃人的魔鬼。”

“也许我们可以做一个恐怖面具，”恰克，“嗯，用雕塑纸做。”

我连理都不想理他一下。按说恰克是个好人，不过有时候却会冒出笨到家的主意。

他这个主意让我脑子里冒出这样一幅画面：万圣节那天我突然出现在玛琳·洛森和“鸭子”本敦面前，他们大叫起来：“哇，吓死我们啦！吓死我们啦！雕塑纸来啦！”

“我饿了，”恰克咕哝说，“走吧，斯蒂夫，咱们别在这儿待着了。”

“嗯，好吧。”我不再跟他较劲了，跟他一起沿着人行道走下去——却又停下了脚步。

“啊，恰克！你看！”我一把抓住他肩头的衣服，将他转了过来，“看！”我指着一条小巷说，“那个门是开的！”

“嗯？什么门啊？”

我把恰克往小巷里拉。地面上，一个很大的黑色井盖门被掀了起来，反射着人行道上的路灯光。

恰克和我一起向门下面望去，只见一条很陡的水泥阶梯，通向地下室。

好像是玩具店的地下室!

恰克转头看着我，一脸的不解。“怎么啦?地下室的门打开了，那又怎样?”

我扶着打开的井盖门，探出身子，在昏暗的路灯光下往里看。“下面有好多个纸箱。”

他还是没领会我的意思。

“也许，那些面具啦，化装服啦，派对玩具啦什么的，都装在纸箱里，也许店里的东西还没有来得及运走。”

“哇，你在想什么?”恰克问道，“你不会想下去吧——是吗?你不会想溜到那间黑糊糊的地下室去偷面具吧——是吗?”

我没有回答。

我已经走在下去的阶梯上了。

7 地下室盗贼

一边往下走，我的心一边怦怦直跳。阶梯又窄又滑，滑是因为下过雨的缘故。

“啊!”脚在水泥阶梯上一滑，我惊叫一声，伸出两只手去够扶手——但这里没有扶手。

“砰!”我重重地落在地下室的地面上——还好，是两只脚落地。我觉得身上有点儿哆嗦，便做了个深呼吸，然后憋住气。

然后我回过身，冲上面朝恰克喊道：“我没事，下来。”

借着路灯的灯光，我看到他满脸的憋屈和别扭，正向下看着我。“我……我真的不想下去。”他轻声地说。

“恰克——快点，”我催促他，“别站在巷子里。如果有人开车经过看到你，会怀疑的。”

“但是现在好晚了，斯蒂夫，”他可怜兮兮地说，“再说，闯进别人的地下室是干坏事——”

“我们不是闯进来的嘛，”我没耐心听他啰唆，说，“门开着——对不对？快点儿，咱俩一起在箱子里找，五分钟就行了。”

他把身子探进洞口里。“太黑了，”他牢骚满腹地说，“我们又没有手电筒。”

“看得很清楚，”我答道，“快下来，你在浪费时间。”

“可是这样做是犯法的……”说着，他突然一惊，脸上的表情变了。一辆汽车驶过，车灯扫在他身上。他张大嘴，短促地吸了一口气，然后钻进洞口，从楼梯上冲了下来。

他走到我身边，贴着我站着，呼吸急促。“他们应该没看到我，”他的眼睛在地下室里扫来扫去，“太黑了，斯蒂夫，咱们回家吧。”

“等眼睛适应了就没事儿了，”我指点他，“我已经看得很清楚了。”

我缓缓地在地下室里看了一圈。这儿比我想象的大，墙壁隐没在黑暗中，几乎看不见。

天花板很低，离头顶只有一两英尺。虽然光线昏暗，还是能看到椽子上挂着一层一层的蜘蛛网。

纸箱在靠近楼梯的地方堆成了两排。对面的什么地

方，传来连续不断的水声，滴答、滴答、滴答……

“啊!”咔嗒一声响，吓得我浑身一激灵。

过了好一会儿，我才反应过来，那是风吹在巷子里的井盖门上发出的声音。

我走到最近的纸箱边，俯下身子查看。箱盖是合上的，但没有封死。

“看看里面。”我喃喃地说着，伸手去掀箱盖。

恰克的双臂紧紧抱在胸前。“这样做不对，”他反对说，“这不是偷东西吗?”

“我们又没偷什么东西，”我反驳道，“如果真找到可怕的好面具，就算拿走了，也算是借的，过了万圣节就还回来嘛。”

“你难道……一点儿也不害怕?”恰克悄声地问，在黑暗中四处张望。

我点点头。“有，有一点儿怕。”我承认道，“这儿好冷，还阴森森的。”风又吹响头顶的井盖门，水泥地面上又传来轻微的滴答声。

“快点吧，”我催促道，“帮我一起找。”

恰克走到我身旁，但只是呆呆地看着箱子，没有动手的意思。

我打开第一只纸箱，掀开纸板往里瞧。“这是什么东西?”我把手伸进去，掏出一只圆锥形帽子，箱子里装的

全都是派对帽。

“太好了！”我开心地对恰克小声说道，把帽子又放回箱子里，“我说得没错，店里的货物全都打包放在这里，我们会找到恐怖面具的，一定会！”

箱子一只叠一只，我搬下另一只箱子，动手打开。“恰克，你看下面那只。”我命令道。

他迟疑地伸出手去。“这样做让我感觉很不好，斯蒂夫。”他咕哝着说。

“只管找面具吧。”我答道。我非常兴奋，一颗心活蹦乱跳的，打开第二个箱子时，手都在不停地哆嗦。

“这个里面装的都是蜡烛。”恰克报告说。

我打开的箱子里装的是餐具垫、餐巾和纸杯。“继续，”我又催他，“面具肯定在这里。”

头顶上方，风吹动了井盖门。希望它不会突然关上，我可不希望被困在这黑暗寒冷的地下室里。

恰克和我又把两只箱子搬到那片方形的亮光里，我的那一只被封了起来，我努力想办法打开它。

头顶上响起吱吱嘎嘎的声音，我停下手来。

是地板在响吗？

我呆住了，手停在纸箱上。“怎么回事儿？”我小声地说。

恰克皱眉看着我：“什么怎么回事儿？”

“没听到楼上有动静吗？好像是脚步声。”

恰克摇摇头：“我什么都没听到啊。”

我又听了一会儿，什么都没有，于是接着干。

我打开纸箱，急不可待地向里面看去。

贺卡，几十张贺卡。我用手在里面拨弄，见到有生日卡、情人卡，满满一箱。

真叫人失望，我把纸箱推到一边，问恰克：“有收获吗?”

“还没有，看看这只里面是什么。”

他双手掀开箱板，凑过去往里面一看。

“啊，呸!”他叫了起来。

8 面具到手了！

“真恶心！”恰克哼哼唧唧地说。

“是什么？什么？”我连声问着，跳过身前的纸箱向他走去。

“你看吧。”恰克把什么东西从箱子里拿了出来，慢慢地咧开嘴，嘻嘻一笑。

我吓了一跳，眼前是一张丑恶的紫脸，牙齿破破烂烂，脸上有一个洞，一条肥大的蠕虫正从里面钻出来。

“找到了！”我高声尖叫起来。

恰克快活地笑着：“满满一箱的面具！全都丑得要命！”

我从他手里抢过面具仔细端详：“嘿——怎么是热的！”

地下室里这么阴冷，为什么这面具摸在手里暖暖的？

虫子在丑脸上伸缩，好像活的一样。

我扔下面具，把手伸进纸箱里，又掏出一个。这是一张丑恶的猪脸，鼻孔下面还挂着一团黏稠的绿东西。

“这只像嘉丽·贝丝！”恰克开玩笑说。

“这些比嘉丽·贝丝去年那个面具还恐怖。”我说道。

我又从箱子里拿出一个来，这回是一张毛茸茸、阴森森的兽脸，有点像大猩猩，只是嘴角两边各伸出一根长长的尖牙，一直挂到下巴上。

我扔下它，又取出一个，然后又是一个。一个丑恶的光头，一只眼球用线连着，挂在眼眶外面，额头上还插着一支箭。

我把它扔给恰克，又拿了一个出来。

“太妙了！”我兴奋地说，“这些面具肯定能吓坏那些小家伙，怎么才能挑到最好的那一个呢？”

恰克厌恶地哼了一声，把手里的面具扔回箱子里。“摸上去像人皮一样，暖暖的。”

我没怎么在意，正忙着掏箱子底呢。我想每个面具都看一眼，然后再决定挑哪一个。

我想要最恐怖、最恶心的那个。我要的面具，会让那些一年级小孩做比我更多的噩梦！

我掏出一个女孩面具，她的嘴里伸出了一个蜥蜴头。

不，不够恐怖。

我又掏出一个吼叫的狼头，它咧着嘴唇，露出两排参差交错的尖牙。

太差劲了。

我拿出一个嘴歪眼斜的老头面具，他撇着嘴角，露出一抹奸笑，一只长长的、弯曲的牙齿伸出来，搭在下嘴唇上。

这个面具还有一头黏腻结绺的黄头发，乱糟糟地披在老头儿坑坑洼洼的前额上，额头崩掉了一块，底下灰色的头骨暴露出来，他的头发上、耳孔里，还爬着黑色的大蜘蛛。

不错，我心想。

这个面具连气味都让人够受的。

我正想把它放回去，头上又传来嘎吱声。

比上一次更响。

头顶的地板在响。

我顿时一惊。听上去真的像脚步声，是有人在楼上走动的声音。

但这家商店明明是空的，而且黑着灯，恰克和我往窗户里看了老半天，如果有人藏在里面，早就被我们发现了。

又一声“嘎吱”，让我狠狠地吸了一口冷气。

我浑身紧张，竖着耳朵听。黑暗的地下室里，滴答滴答的水声不断传来，外面的井盖门还在咔嗒作响。

我还能听到自己浅浅的呼吸声。

天花板吱吱地响，我艰难地吞下一口唾沫。

这是间老房子，我对自己说，所有的老房子都是嘎吱作响的，特别是在刮大风的夜里。

窸窸窣窣的脚步声让我再吸一口冷气。

“恰克——你听到了吗?”

手里紧紧攥着那个老头面具，我竖起耳朵听着。

“你听到了吗?”我悄声说道，“房子里是不是还有别人?”

没有回答。

又是脚步声。

“恰克?”我低声叫道，“喂——恰克?”

我的心狂跳起来，向他转过身去。

“恰克?”

他消失了。

9 捉贼捉赃

“恰克?”

强烈的恐惧让我连气都出不了。

水泥地上响起重重的脚步声，向阶梯去了。在昏暗中，我看到恰克的身影钻出了井盖门。

他一到巷子里，立即又把头伸了回来。“斯蒂夫——出来!”他低声冲下面叫道，“快点！快出来!”

来不及了。

头顶的灯亮了。

我在亮光下眨着眼睛，然后看到一个男人快步走进了地下室。他沿着墙边走，拉动一根长长的黑绳子——井盖门猛地关上了，发出震耳欲聋的巨响。

“啊!”看到他怒气冲冲地向我转过脸来，我泄气地叫了一声。

我被抓住了。

恰克溜了，我被抓了，被困在地下室里，旁边是这个家伙。

好一个怪模怪样的家伙！首先，他披着一件黑色的长斗篷，当他穿过地下室向我走来时，那斗篷在身后飘飘摆摆。

是万圣节的化装服吗？我心想。

还是他平时也老披着黑斗篷？

在飘拂的斗篷底下，是一套黑色的西服，看上去有点过时。

他的头发油亮亮的，从中间分开，然后被发蜡之类的东西抹得贴在头皮上，在他的上嘴唇上，还有一绺弯弯曲曲的黑胡子，只有铅笔粗。

他居高临下地站在我面前，黑眼睛像燃烧的煤炭一样熠熠生辉。

像吸血鬼的眼睛！我心想。

我全身哆嗦，紧紧抓着纸箱，努力迎着他的目光看过去。

被困在这儿了，我一边等着他开口，一边在心里想到，跟吸血鬼一起困在这儿。

“你在这里干什么？”终于，他开口了。他将斗篷往身后一摆，抱起胳膊，发光的眼睛凶巴巴地看着我。

“呃……只是看看这些面具。”我好不容易回答了一句，一直跪在地上没起来。我的两条腿抖得控制不住，肯定站不起来了。

“商店关门了。”那人从牙缝里挤出一句。

“我知道，”我眼睛看着地面，坦白道，“我——”

“商店停止营业，再也不开门了。”

“我……我很抱歉。”我嗫嚅道。

他会放我走吗？他想怎么处置我？

就算我喊破嗓子，也不会有人听得到。

恰克会想办法来救我吗？还是他已经在回家的路上了？

“我住在楼上，”那人向我解释说，依然怒气冲冲地看着我，“听到下面有动静，听到有人在搬动纸箱，已经想叫警察了。”

“我可不是贼，”我冲口而出，“求你不要叫警察，井盖门是开的，所以我和朋友就下来了。”

他的眼睛在室内飞快地扫了一圈。“你的朋友？”

“听到你来他就跑了，”我告诉他，“我只是想看看这儿有没有什么面具，你知道，在万圣节用的，我不是想偷东西，只是——”

“可是商店已经关门了，”那人又说了一次，看了看我面前打开的箱子，“这些不是普通的面具，是不卖的。”

“不……不卖的?”我瞠目结舌地问道。

“你真不应该闯到店里来，”那人摇头说道，油光锃亮的头发在低矮的顶灯下反着光，“你多大了?”

我脑子里一空，张着嘴半天答不上话。我吓坏了，连自己多大都记不得了!

“十二岁。”终于，我答上来了。我深深地吸了一口气，极力让自己冷静下来。

“十二岁就闯到别人的商店里来了。”那人小声地说道。

“我没有闯进来!”我辩解道，“我是说，我以前从来没干过，我是来买面具的，看，带着钱的。”

我颤抖的手指塞进牛仔裤口袋里，掏出一卷钞票。“二十五美元，”我举起钱让他看，“看，够买一个面具吗?”

他用手搓着下巴：“我跟你说过了，小伙子，这些不是普通的面具，是不卖的。相信我——你不会想要这些东西。”

“可是我想要!”我叫道，“这些面具太棒了!我从没见过这么好的面具。再过几天就是万圣节了，我需要一个面具，急需一个，求你了——”

“不!”那人厉声喝道，“不卖!”

“为什么呢?”我可怜兮兮地问道。

他若有所思地看着我。“太逼真了，”说完，他又说了一遍，“这些面具太逼真了。”

“所以才特别棒啊！”我高声说，“求你了！求求你！收下我的钱吧，给你。”我把那卷钞票往他手里塞去。

他没有答话，而是背过身去，斗篷在身后一摆：“跟我来，小伙子。”

“啊？去哪儿？”带着寒气的畏惧传遍全身，我拿着钱的手定住了。

“跟我上楼去，我要打电话给你的家长。”

“不！”我尖叫起来，“求求你——”

如果爸爸妈妈发现我闯进商店的地下室，然后被人抓住了，他们会暴跳如雷的！他们会让我禁足一辈子！那我就错过今年的万圣节了——还有未来的三十个万圣节！

那人冷漠地看着我。“我不想找警察，”他慢慢地说道，“觉得还是找你的父母比较好。”

“求你了……”我喃喃地说着，从地上站了起来。

突然，我想到了一个办法。

我可以趁机逃跑。

我飞快地瞄了一眼通往井盖门的水泥阶梯。如果我跑过去——飞快地跑过去——不等他抓住我，就可以跑完那段阶梯。

井盖门是关着的，但很可能没有锁，我可以从下面推开，然后逃之夭夭。

我又扫了一眼阶梯，认为这个办法值得一试。

我做了个深呼吸，然后憋了一口气。

在心里默默数到三。

一、二、三!

数完三，我拔腿就跑，心跳得比运动鞋踩在硬地上还响。不过，我还是在大约一秒半的时间里，冲到了阶梯上。

“喂——别跑!”我听到那个披斗篷的男人惊讶地叫了一声，还听到他追上来的沉重脚步声。

“站住，小伙子！你去哪儿?”

我没有放慢脚步，也没有回头看。

我像离弦的箭一样，冲上楼梯。

哈！快要逃出去啦！我心想。

我冲到楼梯顶部，伸出双手——用尽吃奶的力气推那道井盖门。

它一动不动。

10 携宝潜逃

“啊!”我心惊胆战地叫了起来。

披斗篷的男人已经到达楼梯下面，我简直可以感觉到他喘出的气吹在我脖颈儿上。

一定要把门打开！我心想，一定!

我又做了个深呼吸，然后像拼死挣扎的困兽般低吼一声，用肩膀去顶门。

顶。

披斗篷的男人伸手向我抓来。

我感觉到他的手碰到了我的脚踝。

我踢腿甩开他的手，肩膀继续用力顶井盖门。

它打开了。

“呀!”我连滚带爬地逃进巷子里，不由得欢呼起来。

冷风吹在我滚烫的脸颊上，我被什么东西绊了一下——石头砖块之类吧，但我没有停下来看，而是冲出窄巷，一直冲到小店门前的人行道上。

我向四下里张望，寻找恰克的身影，但是没看到。

披斗篷的男人会追着我跑出井盖门吗？他有没有在后面追我？

我向小巷转过身去，只看到漆黑一片。

然后我接着跑，跑得飞快，简直像在路面飞行一样。我冲过马路，迎面一片明亮的灯光，耳边骤然响起汽车喇叭的轰鸣，但我霎时间蹦出一里以外！随后汽车呼啸着从我身边开了过去。

“嘿，斯蒂夫——”

恰克从一丛高高的常青树后面转了出来。“你逃出来了！”

“嗯，逃出来了。”我呼哧呼哧直喘气。

“我……我当时不知道怎么办才好！”他结结巴巴地说了一句。

我摇摇头。“所以你就一直傻站在这儿？”

“我在等你呢，”他说，“我有点儿吓坏了。”

真能干。

“走吧，”我回头向路对面望了一眼，“说不定他还会追上来。”

我们肩并肩跑了起来，谁都没有说话，呼吸在夜晚寒

冷的空气中凝成白雾，一处处房舍，一片片幽暗中的草坪，化成灰黑的影子，在眼前掠过。

一口气跑过三个街区，恰克家到了。我放慢了速度，俯下身子，想缓解两肋的剧痛。只要跑几个街区，我就会疼成这样。

“再见！”恰克上气不接下气地说，“很遗憾，你没拿到面具。”

“嗯，太糟了。”我闷闷不乐地说。

我看着他顺着他家的房子转到屋后，然后消失不见，这才做了个深呼吸，继续前进，迈开大步慢慢跑向自己的家，就在下一个街区。

心还是跳得飞快，不过我的情绪已经慢慢平复下来。穿斗篷的男人没有追过来，再过一小会儿，我就会安全地回到家里。

跑上自家的车道之后，我慢慢停下脚步，两肋的剧痛已经变成了隐隐的疼痛。

我停在前门廊的黄色灯光下，我的狗——“火花”的叫声从屋里传出来，它知道我回来了。

我走上前门的台阶，脸上挂着满意的微笑。

眉开眼笑。

我对自己的表现很满意，坦白地说，我心花怒放，恨不得跳到半空里去，或者发疯似的手舞足蹈，要么就像只公鸡一样直着脖子喔喔叫一番，或者昂起头来，对着月亮号叫几声。

这个晚上我大获全胜。

我没有告诉恰克，不想让他知道。

披斗篷的男人把灯打开的时候——就在他看到我，我也看到他之前的那一瞬间——我从纸箱里抓起一个面具，塞进了运动衫里。

我得到了一个面具！

这事办得并不容易。事实上，和那个奇怪的男人一起，单独关在那诡异的地下室里，是我这辈子经历的最恐怖的时刻。

然而我终于得到了一个面具！此时它就安全地藏在我的运动衫底下。

跑在路上的时候，我的胸口还能感觉到它，现在也能。就在我伸手打开大门的时候，它正暖暖地贴在我的皮肤上。

我太开心了，太自鸣得意了。

这时，我感觉到那个面具在动。

然后我放声尖叫——有个东西一口咬在我的胸膛上。

11 丑陋的面具

我紧紧抓住胸口的衣服，然后双手用力，按着鼓起来的面具。

“哇塞!”我喃喃地叫了一声，把面具塞好。

别再胡思乱想了，斯蒂夫，我暗暗地责备自己。

冷静点，是面具在往下滑，没别的事，它没有动，也没有咬你。

回屋去，我命令自己，把这东西藏在房间的抽屉里，然后定定神。

为什么我那么紧张?

最可怕的时候已经过去了，我带着一个很棒的面具成功逃脱，现在，轮到我去让别人大受惊吓了，为什么还站在这儿跟自己过不去?

手按着运动衫的前襟，我打开大门，走进家里。“下

来，伙计！下来，火花！”黑色的小猎狗跑上来欢迎我，它从地板上高高飞起，直往我身上扑，呜呜汪汪地叫，好像二十年没见我似的。

“下来，火花！下来！”

我本来想趁爸爸妈妈不注意，溜进家里，跑上楼把面具藏进房间，但火花破坏了这个计划。

“斯蒂夫——是你吗？”妈妈气呼呼地冲进客厅，恼火地紧皱着眉头，一面瞪着我，一面吹开一缕挡住眼睛的金色鬈发，“你到底跑到哪里去了？爸爸和我已经吃完晚饭，你的饭已经冰凉冰凉的了！”

“对不起，妈妈。”我一边按着衣服前面不让面具掉下来，一边还得把火花推开。

那缕头发又落下来盖在额头上，然后又被妈妈吹开。“嗯？你上哪儿去了？”

“我……嗯……”

快想，斯蒂夫。

不能告诉她你溜出去之后，从一家商店的地下室里偷拿了一个万圣节面具。

“我去给恰克帮了点忙。”我到底还是想出了一个理由。

没错，我是撒谎了，但只是个小谎嘛。

总的来说，我这个人是很诚实的。但在眼下，我一心

想的就是保住这个面具！面具在我身上，我急着要把它从运动衫里拿出来，藏在房间里一个保险的地方。

“你要上哪儿去应该跟我说一声，”妈妈嗔怪我说，“爸爸出去买东西了，但是他也很恼火，到吃晚饭的时候你就应该回家了。”

我垂下头：“对不起，妈妈。”

火花抬起脑袋望着我。它是在看我衣服上的鼓包吗？

如果狗能看见，妈妈也会看得见。

“我上去脱一下衣服，然后马上下来。”我对妈妈说。

然后我不等她再说什么，扭头就冲上了楼梯，一次跨两级，冲进走廊，冲进自己的房间，用力关上了门。

我先是待了一会儿，等自己喘过气来，同时仔细听着动静，听妈妈有没有跟上楼来。

没有，她在厨房里乒乒乓乓地给我弄晚饭。

我心急火燎地想看看面具。

我拿的是哪一个？地下室亮灯的时候，我看都没看就抓了一个面具塞进衣服里。

迅速地把手伸进衣服里，我掏出了得之不易的战利品。

“哇！”我双手高举面具，欣赏起来。

是那个老头面具，我拿到的是那只叫人恶心的老头面具。

我抚顺它一绺一绺的浅黄色长发，拎着两只大大的尖耳朵，把它举在面前细细端详。

一颗白色牙齿露出来，咬在下嘴唇上，中间还有一个褐色的虫洞。

我明白了，在大门外，就是这颗大牙齿刮着了我的胸口，我还以为是面具咬了自己一口。

面具的嘴巴歪斜着，一副奸诈而讥诮的神情，两片嘴唇就像两条棕色的蠕虫。

老长老长的鼻子，两只鼻孔下都挂着绿色的黏物，前额上少了一块皮肤，破洞里露出了灰色的头骨。

整张脸布满了沟沟坎坎，皮肉是丑恶的绿色，松垮的皮肤好像就要从脸上剥落下来似的，凹陷的两颊上还有一道道暗沉的伤疤。

一缕缕油腻的黄发里，有黑色的蜘蛛在爬行，还有的正从耳朵眼儿里往外钻。

“真恶心！”我叫了一声。

我手里拿的算不算世界上最恐怖的万圣节面具？

不是，是全宇宙最恐怖的！

光是这么拿着，我已经有一点点想吐了。我用一只手指搓了搓它疙里疙瘩的脸，感觉是暖的，像活人的皮肤一样。

“呵呵呵——”我学着老年人的样子笑了几下，“呵

呵呵——”又试着沙哑地干笑几声。

小心了，公猪们！我自言自语地说，等到万圣节那天，我戴着这个面具突然出现在你们面前，你们绝对会被吓破胆的！

“呵呵呵——”

我把那些乱糟糟的长头发捋到面具的脑后，手指从缠在里面的蜘蛛身上扫过。那些蜘蛛摸上去不像橡胶做的，反而是像人皮一样，柔软而温热。

我开心地看着这张丑恶的老脸，它也轻蔑地回看着我，褐色虫子似的嘴唇轻轻颤动。

要不要试戴一下？

我捧着它，走到壁橱上的镜子面前，急切地想看看自己戴上它以后的样子。

就戴一会儿，我心想，看清楚有多可怕多古怪就行。

双手拿着这只面具，我将它举过了头顶。

慢慢地……小心地……非常小心地……我将面具向下拉，向下，向下，罩到脸上。

12 万圣节，我来了！

“斯蒂夫——”

妈妈在楼下一声暴喝，吓了我一大跳。

“斯蒂夫——你在哪里？下来吃晚饭！”

“来了！”我高声答应，放下了面具。过会儿再试，我想道。

我匆匆走到衣橱前，拉开装袜子的抽屉，然后用爬着蜘蛛的长头发盖住那张丑脸，把面具小心地放进抽屉里，再拿几双袜子挡在上面，最后把抽屉关上。

我急急忙忙来到厨房，妈妈在桌子上放了一份沙拉，还有一盘热好的芝士通心面。

肚子咕咕作响，我这才感觉到自己已经饿得要命了！我坐了下来，把沙拉推过一边，忙不迭地叉起面条就往嘴里送。

低头一看，火花正仰着脑袋望着我，眼睛又黑又大，好像通人性一样。看到我看着它，它歪了歪脑瓜。

“火花，”我说，“你不爱吃通心面——还记得吗?”

它把脑瓜歪向另一边，好像想弄明白我在说些什么。我丢了几根面条给它，它嗅了嗅，不加理会。

妈妈在我身后，正在清理冰箱，准备给爸爸买回来的食物腾出地方来。我真想把那恐怖面具的事告诉她，想向她炫耀一下，或者戴在头上，吓得她哇哇乱叫。

不过我知道，她会问上一大堆问题，问我从哪里买的，贵不贵，买这个东西花了我多少零用钱。

都是我回答不了的问题。

所以我紧闭着嘴巴，强迫自己保守这个激动人心的秘密，不告诉她今年的万圣节我用不着再打扮成流浪汉了。

过去的五年里，我的化装服都是那一件——流浪汉。实际上，它连化装服都算不上。我只是穿了爸爸的一套旧衣服，肥肥大大的，裤子上打着补丁。妈妈在我脸上涂些巧克力，让我显得邋里邋遢，最后再扛上一支鱼竿，竿子上挑着一个背囊。

没——劲!

今年的万圣节可就不一样了，我信心百倍地想到，这个万圣节绝对不会没劲的。

我真开心啊，一边风卷残云般地吃着面条，一边满脑子都是那个可怕的面具。

这件事谁都不告诉，我心想，我要把所有认识的人全都吓一大跳。

连恰克也不能说，谁叫他只顾自己跑掉，把我扔在那个黑漆漆的地下室里。

小心哪，小恰克！我连你也不放过！我一边想，一边咧嘴直笑，结果笑得嘴巴都合不拢，几根面条从嘴里漏了出来。

13 万圣节派对

第二天放了学，我去指导一年级学生踢足球。这是一个十月的下午，天气清凉而明媚，阳光照在黄色、褐色的秋叶上，闪出点点金光。一团一团的白云飘在蓝天上，就像软软的棉花一样。

在我眼里，一切都很美，因为还有一天，就是万圣节了。

我正抬头看着天上的云，这时，玛琳·洛森将落在地上的足球狠命一踢，正好打中我的肚子。

我捂着肚子，疼得弯下腰去。“鸭子”本敦和另外两个孩子跳到我背上，压得我扑倒在泥巴里。

我不在乎。

相反，我还在笑呢。

因为我知道，只要忍过这一天就可以了。

我沿边线跑动，向他们示范如何带球过人。这时，安德罗·维斯狄伸出了一只脚，把我绊得冲进停靠脚踏车的支架里，摔倒时下巴磕到了车把上，眼前顿时迸出一片星星。

我不在乎。

我爬起来，脸上笑嘻嘻的。

因为我知道一个秘密，这个歹毒的秘密只有我一个人知道，这些小孩全都蒙在鼓里。我知道，在“不给糖吃就捣乱”的夜晚，我要捣一个大乱!

四点钟到了，我宣布训练结束。这时候，我已经累得吹不动哨子了，衣服浸透了泥浆，走起路来还一瘸一拐的，身上的刮伤、淤伤不下二十处。

这是训练公猪队必然出现的结果。

可是我在乎吗?

你知道的。

我叫他们在我身边围成一圈。他们你推我一下，我推你一下，互相扯头发，叫难听的外号。我跟你说过——他们是一群畜生。

我举起手，让他们静一静。“明天咱们公猪队开一个特别的万圣节派对吧!”我提议道。

“呜啦!”他们齐声欢呼。

“训练完之后，我们穿着化装服聚会，”我接着说道，

“全队都参加，然后大伙儿一起去玩‘不给糖吃就捣乱’，我带你们去。”

“呜啦!”他们又是一阵欢呼。

“去跟你们的父母请个假，”我对他们说，“这是一个特殊的派对，我们在卡彭特大宅前面会合。”

安静，这次他们却没有再欢呼。

“为什么要在那儿碰头?”安德罗问。

“那个老房子里不是闹鬼吗?”玛琳悄悄地问。

“那地方太阴森了。”鸭子也说。

我向他们眯缝起眼睛，使出激将法：“你们不是害怕了吧?”

没人做声，他们紧张兮兮地你看我，我看你。

“怎样？你们全都是胆小鬼吗，全都不敢到那里跟我碰头?”我问道。

“才不是呢!”玛琳说。

“才不是呢！我们才不会怕那座破房子!”

他们七嘴八舌，纷纷向我夸耀自己有多勇敢，全都答应在那儿跟我见面。

“有一次，我看到了一个鬼，”詹妮·迈厄斯吹牛说，“就在我家车库后面，我大喊一声‘嘘’，它就飘得无影无踪啦。”

这些小家伙都是畜生，不过想象力确实不错。

孩子们对詹妮大加嘲笑，她硬着头皮说自己的事是真的，她就是见过鬼。于是大家一起把她推倒在地，让她沾了一身泥。

“嘿，斯蒂夫——你在万圣节会化装成什么呢？”玛琳问道。

“对啊，你的化装服是什么样儿的？”安德罗也问。

“他会化装成一堆有毒废料！”有人嘲弄地说。

“才不，是芭蕾舞女！”另一个大声说。

他们大声哄笑起来。

尽情笑吧，伙计们，我心想，抓紧时间好好笑吧，因为，等到万圣节你们看到我，我会是唯一笑得出来的那一个。

“呃……我会打扮成流浪汉，”我对他们说道，“你们会把我认出来的，我穿一套破衣服，脸上涂得脏脏的，像一堆垃圾。”

“你本来就是一堆垃圾！”我的铁杆队员叫道。

放肆的笑声和起哄的鼓噪声响成一片，他们又闹开了，你推我搡，扯着头发扭成一团，场地上越发乱了。

幸好，家长和保姆来接他们了。我看着他们离开，脸上挂着一个大大的笑容——大大的、坏坏的笑容。

然后我拿起书包，一路往家跑，急着再看一眼面具。

跑过恰克家时，他走了出来。“喂，斯蒂夫……急什么呢?”他高声问道。

“没什么!”我回头喊道，“回见，伙计!”

我不停脚地跑着，不想跟他一起玩。我要去看看那只面具，要重新体会一下它的精彩和它的恐怖。

我冲进前门，直接向楼上冲去，一步三级。

我跑进走廊，拐到自己的房间里，随手将书包往床上一扔，径直跑到衣橱前，心急火燎地拉开了装袜子的抽屉。

“啊?”

我往里一看，用颤抖的手指拨开几双团成球的袜子。

面具不见了。

14 初戴面具

“不!”

我发狂似的在抽屉里乱扒，把袜子往地板上乱扔。

没有面具，不见了。

一团团的袜子在地板上乱蹦，我的心也蹦得厉害。

然后我才想起来，面具换地方了。那天早上上学之前，我担心妈妈洗衣服时会打开我装袜子的抽屉，那她就会看到它。于是我就把面具塞进了壁橱顶层里面，用卷起的睡袋挡着。

我长嘘了一口气，跪在地上，用手撑着地面，飞快地把袜子全都捡起来，塞回抽屉里。然后，我打开壁橱门，从架子的顶层上拿下了面具。

斯蒂夫，冷静一点，伙计，我对自己说，再怎样，它也就是个万圣节面具，别再自己吓唬自己了。

批评批评自己，给自己提提醒，有时候挺管用的。

心里平静了一点，我把面具黏腻的黄发拨到脑后，用手抚平，又摸了摸面具遍布伤疤的粗糙皮肤。

它对我撇着嘴，仿佛在嘲笑我，我伸出小指，捅进牙齿上的虫洞里，又仔细看了看耳朵眼儿里的蜘蛛。

“它可真酷!”我大声地说。

还有一天才到万圣节，我可等不及了，一定要到什么人面前炫耀一把才行。

不，是一定要找个人吓唬吓唬才行。

恰克的面孔立即闪进我的脑中。老朋友恰克是最合适的下手对象，他肯定在家，几分钟以前不是看到他了嘛。

哇，他绝对会吓一大跳！我心想。恰克以为我两手空空地逃出了地下室，如果我溜进他家，戴着这个可怕的面具偷偷走到他身边，他一定会吓昏过去!

看看时间，离吃晚饭还有一个小时，爸爸妈妈还没回家呢。

好，就这么干！我拿定了主意。

“呵呵呵!”我试着发出老头儿的沙哑笑声，“呵呵呵!”我尽可能地让自己的笑声显得阴森可怖，而且非常恶毒。

然后，我双手抓着面具皱皱巴巴的脖子，走到镜子面前，将它套在头上。

往下一拉。

它轻松地从我的头发上滑落下来，软软地，暖暖地，套在我的脸上。

盖住我的耳朵，又盖住我的脸颊。

向下，向下。

最后，面具的顶部贴住我的头顶，我转了转它，让窄窄的眼缝对准眼睛。

我放下手，凑近镜子，想看看自己的模样。

好热。

我突然觉得太热了。

橡皮面具紧紧地贴在了我的脸颊和额头上。

更热了。

“嘿——”我面孔发烫，不由得叫了起来。

好烫……

呼吸好困难。

“嘿……我怎么了？”

15 逼真的面具

我能感觉到，面具裹着我的脸，越来越紧。

脸颊热得发烫，臭味大得呛人。

我咯咯地发出作呕的声音，猛力吸气，但面具太紧，我简直无法呼吸。

我双手抓住它的耳朵。从外面摸，面具是温温热热的，可是它的里面简直像烧着了一样！

我想把它扯下来，但扯不动，滚烫的橡皮死死粘在我的脸上。

腐臭味再次向我袭来，我不由得呻吟了一声。

我用更大的力气拉一拉，还是不行，它纹丝不动。

我张大嘴，深吸一口气。

抓住油腻的头发，我用力一揪，又把手指塞进它的下巴底下往上掀。

“啊……”难受的哼哼声从我嘴里发出，我的双手无力地垂了下去。

我突然觉得好累，一点力气都没有。

完全没了力气。

每一次呼吸都费尽了千辛万苦，我弯下腰去，全身发颤。

我有一种衰老而又虚弱的感觉。

衰老。

这就是老年人的感觉吗？

冷静，斯蒂夫，我在心里责备着自己，它只是个橡皮面具，就是有一点儿太贴身了，没别的事。

它箍在了你的脸上，不过你可以脱下来，然后就好了。

冷静，数到十，然后对着镜子，抓住底边往上掀就行了，没问题。

我在心里从一数到十，然后又往镜子前走近一点。

看到自己的影子，我差点儿失声叫了起来。这个面具实在是太棒了！万分的逼真，万分的丑恶。

此时的面具加上了我的一双眼睛，整副面孔似乎活了起来。褐色的嘴唇在镜子里朝我不屑地撇着。我动了动自己的嘴唇，它似乎也动了起来。两团绿色的黏物在巨大的鼻孔里颤动，打结的黄头发里，蜘蛛好像爬了起来。

只是个面具，很棒的面具，我自言自语地说。

我没那么慌了。

就在这时，嘶哑的笑声冲出我的喉咙："呵呵呵。"

不是我的笑声！

不是我的声音！是一个老人的声音。

怎么会这样？我怎么会发出这么陌生的声音？

我紧紧地闭上了嘴巴，不想再发出这种笑声。

"呵呵呵。"

又是那恐怖而沙哑的笑声！声调又高又尖，不像是笑，倒更像在嘎嘎大叫。

我收紧下巴，用力咬住牙关，同时憋住气，让自己笑不出来。

"呵呵呵。"

不是我在笑！

是谁在这样笑？

那尖锐的干笑声是从什么地方发出来的呢？

我目瞪口呆，看着镜子里的老脸，恐惧感骤然袭来，让我如坠冰窟。

这时，一双有力的手紧紧抓住了我的腿。

16 面具的底边呢?

我惊得猛吸一口气，急忙转身。

从面具紧贴着我的眼窝里向下望去。

这才发现，抓住我的不是手，是牙齿。

狗牙。

“火花——是你!”我叫了一声，声音干涩而喑哑。

火花退开了。

我清了一下嗓子，又说了一句：“别害怕，火花，是我。”我的声音啊！简直像在干咳一样。

听起来就像我爷爷在说话!

我有一张老人的脸和一副老人的嗓子。

还有，我的身体又是那么疲惫，感觉如此衰弱不堪。

我伸出手去，想拍拍火花，但两条胳膊直往下沉，好像有一千磅重，当我弯腰时，两边的膝关节咯咯作响。

小狗仰面看着我，歪着脑袋，粗而短的尾巴拼命地摇着。

“别害怕，火花，”我沙哑地说，“我只是试试面具，很吓人吧，嗯?”

我低下头，想把火花抱起来。

但就在我凑近的当儿，小狗的眼睛惊恐地睁大了。火花尖叫一声，从我手里跳出去，一路狂叫着冲出房间。它吓坏了。

“火花——是我!”我叫道，“我的声音确实不一样了，但还是我呀——斯蒂夫!”

我想追上去，但是两条腿一点力气都没有，膝盖也活动不了。

试了三次，我终于直起身来。我的头好疼，喘成了一团，根本无法追上去。

再追也来不及了，我听到它已经到了楼下，叫得脖子都快断了。

“真古怪。”我揉着疼痛的后背，喃喃自语，拖着沉重的双腿回到镜子面前。火花以前见过我戴面具，分得清是我。为什么它吓成这样？是因为我的古怪嗓门吗?

这个面具怎么会把我的声音都弄干了？为什么我突然感觉自己有一百一十岁那么老?

至少脸上火烧火燎的感觉没有了。不过，面具的皮套紧紧地粘在我的脸上，我连动动嘴唇都不容易。

得把这东西弄下来，我心想，等到了万圣节之夜，再去把恰克吓掉魂吧。

我的双手在脖子上摸来摸去，想找面具的底边，摸到的却只是粗糙的皮肤，皱皱的，干干的。

面具的底边呢?

我向壁橱门上的镜子凑近去，眯缝起眼睛看自己在镜中的影子，仔细地看着面具的颈部。

褶皱丛生的皮肤上布满了丑陋的褐色斑点。

可是，底边在哪儿?面具的底边在哪里，我自己的脖子在哪里?

我的双手哆哆嗦嗦地在脖子上来回摸索，心跳开始加快。

我慢慢地、仔细地摸着脖子，从下到上，从上到下。

一次，又一次。

终于，我垂下手，惊惧地泄了一口气。

面具没有底边，在面具和我的脖子之间，根本没有分界线。

那皱巴巴满是斑点的面具皮，已经变成了我的皮肤。

“不——不——”我用衰老的嗓门惨叫起来。一定要把这东西脱下来！一定会有办法的！

我紧紧揪住面具的两颊，用尽全身的力气往下拉。

“啊!”脸上疼痛难当。

我拉扯头发，头皮顿时传来一阵剧痛。在慌乱中，我对着面具又拍又打，又撕又扯。

所有的动作我都有感觉，每一次拍打，每一下拉扯，都会给我带来疼痛，就好像是打在我自己的皮肤上一样。

“眼缝!”我嘶哑地叫了一声。

我向眼缝伸出手去。也许，可以把手指塞进眼缝里，把面具扯起来。

我摸着眼眶的四周，手指发抖，摸索着，又是搓又是捅。

没有眼缝，眼缝根本不存在。

那凹凸不平、伤痕累累的皮肤已经与我融为一体，变成了我的皮肤。

那张丑恶狰狞的面具已经变成了我的脸!

我的模样已经变成了一个年老体衰的糟老头子，面目可怖，满身的蜘蛛，而我的感觉也是老迈而古怪，就和外表一个样!

在满心的恐惧中，我喉咙发紧，靠在镜子上，丑陋粗糙的额头抵着镜面。

我闭上双眼。怎么办？怎么办？这个问题像一支让人难过的歌，在我心里一遍遍重复。

这时，外面传来关门声，随后妈妈的声音在楼梯底下响起："斯蒂夫——你在家吗？斯蒂夫？"

怎么办？怎么办？问题重复又重复。

"斯蒂夫？"妈妈喊道，"下来，有东西给你看。"

不！我心中想着，咽了口唾沫，干燥的喉咙发出恶心的咯咯声。不！我不能下去！不能！我不想让妈妈看到我这个样子！

"啊，算了吧！"妈妈喊道，"还是我上去吧！"

17 向嘉丽求助

脚步声在楼梯上响起。

惊慌之下，我摇摇晃晃地向门边走去，差点儿摔倒在地。我的一双老腿僵硬不灵，根本快不起来。

就在妈妈来到二楼的时候，我蹒跚着到了门边，将门关上。然后，我靠着门板上，手按着扑通乱跳的胸口，好不容易才喘过气来。

快想想，想好说些什么。

不能让她看到我这副模样，不能让她看到这个面具。她会问个不停，我不能让她发现这个面具已经改变了我。

片刻之后，她在我的房门上轻轻敲了几下："斯蒂夫，你在里面吗？在干什么？"

"呃……没什么啊，妈妈。"

"嗯，我可以进来吗？看我给你带了什么东西。"

“现在可不行。”我嘶哑地说。

拜托不要开门！我无声地乞求着，求求你千万不要进来！

“斯蒂夫，你的声音怎么这么古怪？”妈妈问道，“你嗓子怎么啦？”

“呃……”快想，斯蒂夫，快想。

“呃……喉咙疼，妈妈，疼得厉害……”

“让我看一看，你病了吗？”我向下一看，门把手扭动了。

“不！”我高声尖叫起来，用背顶住房门。

“你没病？”

“哦，病了，”我哆哆嗦嗦的老年人的哑嗓门说道，“有点不舒服，妈妈，我要躺一会儿，等一下就下去，好吗？”

我看着门把手，听着她从门的另一边传来的呼吸声。“斯蒂夫，我给你买了黑白饼干，你最爱吃的，现在要不要吃一块？也许吃了会舒服一点儿。”

肚子咕咕叫。这种饼干确实是我的至爱，一面涂了巧克力，另一面是香草。“过会儿吧。”我痛苦地说。

“可是，这是我专门绕道两英里去给你买的呢。”妈妈说道。

“过会儿，现在我真的不舒服。”这倒是实话，我的太

阳穴一跳一跳地疼，全身都疼。我觉得非常虚弱，几乎站都站不住了。

“吃晚饭的时候我来叫你吧。”妈妈说。我听着她下了楼，这才一步三晃地走到床边，让我的那把老骨头坐了上去。

“现在该怎么办哪？”我自言自语地问道，双手按在满是伤疤的脸上，“怎么才能把这东西脱下来？”

我闭上疲惫干涩的眼睛，苦苦思索。没过几分钟，嘉丽·贝丝的脸出现在脑海里。

“没错！”我哑声说道，“只有嘉丽·贝丝才能帮助我。”

嘉丽·贝丝去年万圣节戴了从同一家商店买来的面具，也许同样的事也曾经发生在她的身上，也许她的面具也贴在脸上下不来，并且改变了她。

她最后脱掉了面具，那么，她也会知道我用什么办法才能脱下面具。

电话在书桌上的电脑旁边，在我的对面。正常情况下，我三秒钟就能走过去。可是，现在我花了三分钟，才吭哧吭哧地挺直这把老骨头，站了起来，然后又花了五分钟，才把自己拉扯到房间的另一头。

我跌坐进书桌前的椅子里，身心俱疲，使出全身力气才把手抬起来，在电话上按下嘉丽·贝丝的号码。

这样下去我可受不了，我心想，她千万要帮我，千万要知道把面具脱下来的办法。

铃声响了三下，嘉丽·贝丝的爸爸拿起电话。“你好?”

“你好……呃……能叫嘉丽·贝丝接电话吗?”我吃力地说道。

沉默片刻，然后是：“你是哪一位?”考德威先生的语气听起来有些迷惑。

“是我，”我答道，“嘉丽·贝丝在吗?”

“你是她的老师吗?”他问。

“不是，我是斯蒂夫，我——”

“对不起，先生，我听不清，能大声一点吗？你找我女儿有什么事？也许我可以帮忙?”

“不……我……”

我听到考德威先生压低嗓门，对身边的什么人说：“是个老人，找嘉丽·贝丝，说的话几乎听不清，还不肯说他是谁。”

然后他又对着电话说道：“你是她的老师吗，先生?你在哪儿认识我女儿的呢?”

“她是我的朋友。”我哑着嗓子说道。

我又听到他扭头对旁边的人说话，也许是嘉丽·贝丝的妈妈。他用手捂住话筒，但我还是听得见：“八成是什

么人在胡闹，乱打电话。”

他对我说道：“对不起，先生，我女儿现在不能听电话。”说完他就挂断了。

我坐在那儿，用爬满蜘蛛的耳朵听着电话里传来的嗡嗡声。

怎么办？我问自己。

怎么办？

18 原来是场梦

我一定是在椅子里睡着了，不知道睡了多久。

爸爸的敲门声把我吵醒。“斯蒂夫——该吃晚饭了！”他向屋里喊道。

我猛地一惊，坐直了身子，这样坐着睡觉让我腰酸背疼。我揉着皱巴巴的脖子，让它别那么僵硬。

“斯蒂夫——你下不下去吃饭啊？”爸爸问道。

“我……我不太饿，”我沙哑着嗓子说，“想再睡一会儿，爸爸，我好像生病了。”

“嘿，别在万圣节前夜生病啊，”他答道，“你可不想错过‘不给糖吃就捣乱’。”

“我……我会好的，”我哑着嗓子支支吾吾地说，“好好睡一觉就行了。”

哼，是吗？

醒来我会有一百五十岁，不过会好的。

我苦闷地叹了一口气。

“晚一些我们给你拿些汤上来。”爸爸说了一句，然后下楼去了。

我看着电话，要不要试试再打给嘉丽·贝丝？

不，我心想，她不会相信电话这边是我，她会像她爸爸一样挂断电话的。

我挠挠耳朵，感觉到蜘蛛在里面乱爬。我又摸了摸脑袋上的一小块秃顶，那儿的皮肤向两边裂开，摸上去绵软潮湿，还能摸到露出来的硬硬的头骨。

“唉……”又是一声长叹。

得想一想，我对自己说，想办法解决这个问题。

但是我好累，好困。

我站起来，倒在床上，片刻之后，沉沉地睡了过去。

明亮的阳光像流水一样，从卧室的窗户里洒了进来，我醒了。

我眨了几下眼睛，惊讶地看着早晨的阳光。早上，这是万圣节的早上。

本来这是一个快乐的日子，一个激动人心的日子，然而……

我伸出两只手去摸自己的脸。

光滑的！

我的脸很光滑，柔软而又光滑。

我又揉了揉耳朵，小的，是我的耳朵，没有蜘蛛！

我又赶紧举起手去摸头发，摸到的是自己的头发，不是那个老人油腻腻的头发。

万分小心，带着几分迟疑，我又摸了摸露出头盖骨的那块秃顶。

消失了！

“我变回来喽！”我大叫一声，长长地欢呼起来。

老人面具没有了，老人的嗓门没有了，老人的身体也没有了。

那是一场梦，一个恐怖的噩梦。

我在阳光下眨着眼睛，开心地打量自己的房间。

“原来是做梦！”我叫道。

进入黑暗的商店地下室，在满箱的面具中翻找，披着斗篷的男人，老人面具，溜进家里戴在头上。

面具裹在头上，脱不下来。

原来全是一场梦！

一场可怕的噩梦，现在已经结束了。

我好开心啊！这是我一生中最高兴的时刻。

我想跳下床，想在房间里蹦蹦跳跳地绕几圈，想手舞

足蹈。

但是，就在这时，我的眼睛睁开了，我这才真正地清醒过来……

19 我的计划

……我真正地醒了过来。

这才明白，我只不过是梦见那是一场梦。

我捂住自己的脸——皱纹丛生、疤痕累累。我揉揉鼻子，摸到了挂在鼻孔下的两团绿色黏物。

我梦见那面具并不存在。

我梦见自己的脸又回来了，还有我的声音和身体。

全都是梦，一场美梦。

可是现在我是真的醒了——真的陷入了困境。

我从床上撑起身子，拨开垂在眼前的黄发。“得把这事告诉爸爸妈妈，”我拿定主意，“这个样子再过一天我可受不了。”

昨晚睡着时没有脱衣服，我晃晃悠悠地站起来，拉扯着一把老骨头来到门边，打开门——看到门板上贴着一张

纸条——

亲爱的斯蒂夫：

但愿你感觉好些了。我和妈妈今天早上要去海琳姨妈家，为了避开塞车时间，所以一大早就走了。我们会及时赶回来帮你准备流浪汉化装服的。

爱你的

爸爸

我的流浪汉化装服？

今年可不是这个。而且，既然我现在至少有一百五十岁，玩“不给糖吃就捣乱”有点儿超龄了！

我把纸条揉成一团，踏上了走向厨房的漫长旅程。我扶着栏杆，一次下一级楼梯，突然渴望吃上一碗热乎乎的麦片粥和一杯热牛奶。

“哦，不要！”我哑着嗓门叫道。现在，我连想法也开始像老人一样了。

我给自己做了一份橙汁和玉米片的早餐，拿到餐桌边坐下来吃。肥厚的褐色嘴唇碰到装果汁的玻璃杯，感觉很异样。我只有一颗弯曲的长牙，想嚼碎玉米片简直难如登天。

“我可怎么办哪？”我悲惨地自言自语道。

突然间，答案出现。

我决定将吓唬一年级小孩的计划进行下去。那帮捣蛋鬼每天在足球场上把我折腾得好苦，为什么不让他们也尝尝苦头？

没错！我打定主意了。爸爸妈妈回家的时候，我要开门迎接他们，让他们看到我的老头模样。他们不知道这不是化装，相反会认为我打扮得棒极了。

然后，我就要到那幢叫人头皮发麻的卡彭特大宅去见那帮小孩，我会吓得他们灵魂出窍！

再然后呢？

我就去找嘉丽·贝丝。想找到她很好办，玩完“不给糖吃就捣乱”之后，她会在家里开万圣节派对。

我要找到嘉丽·贝丝，让她把秘密告诉我，让她示范怎么样才能把这可怕的面具脱下来。

然后，我就快活无比了。

我独自坐在厨房里，费尽九牛二虎之力地吞着玉米片，心里琢磨着这个计划，它好像是一个相当不错的计划。

可惜事情的发展并没有按我的计划进行。

20 吓唬公猪行动

那天晚上，爸爸妈妈回家了，我蹒跚着下楼迎了上去。看到我那张到处结痂的丑脸，他们同时大惊失色。

妈妈手里的袋子掉在地上，下巴也差点儿掉在地上。

爸爸的眼珠子凸了出来，看了我好半天，然后哈哈大笑。“斯蒂夫——这是世界上最好的化装服！”他嚷嚷着说，“从哪儿弄来的？”

“难看死了，”妈妈说，“哦，我受不了你头上的那道口子，还有你牙齿上那个恶心的洞。”

爸爸围着我转了一圈，对我的新面貌很是欣赏。

我已经换上了当做流浪汉服装的那套打补丁的黑色西服，还在壁橱里找出爷爷的旧手杖拄在手里。

“真棒！”爸爸说着，用力捏了捏我的肩膀。

“我是在一个玩具店里买到这个面具的。”我嘶哑着嗓门说道。这话离事实也不远了。

爸爸妈妈对视了一下。“这副老头儿的嗓音装得很像，”妈妈说，“是练过的吗？”

“嗯，练了一整天呢。”我答道。

“现在舒服点儿了吗？”爸爸问，“今天早上，我们想着你不舒服，就没有叫醒你。妈妈和我必须一大早出门……”

“我舒服多了。”我骗他们说。其实，我的腿仍在颤抖，全身直冒冷汗。

我虚弱无力，靠在手杖上。

“啊呸！你头发里是什么？”妈妈叫了起来。

“蜘蛛。”我说着打了个哆嗦，感觉到它们正在我的头发和耳朵里蠕动。

“太逼真了，”妈妈双手捂着脸颊，摇了摇头，“你真的不想再当流浪汉吗？戴这个面具肯定又热又不舒服。”

她还不知道它到底不舒服到何种地步呢！

“别管他，”爸爸反对说，“这模样多棒啊，他今晚会把满大街的人都吓个半死。”

但愿如此，我心想。看看表，时间快到了。

“哦，他先把我吓了个半死！”妈妈大声说着，闭上了眼睛，“我不能再看你了，斯蒂夫。为什么你要买这么……这么恶心的东西？”

“我觉得很好玩，”爸爸对她说了一句，然后伸出一根手指在我的长牙上戳了戳，“这面具真不赖，是橡皮的吗?”

“嗯，好像是。”我衰老颤抖的声音含糊地说道。

妈妈做了一个厌恶的表情：“你是和恰克一起去玩‘不给糖吃就捣乱’吗?”

我打了个哈欠，浓重的睡意忽然袭来。“我答应带足球队的小孩一起玩，”我哑哑地说，“然后要去嘉丽·贝丝家。”

“嗯，别玩得太晚了，”妈妈说，“如果那个厚厚的面具太热，一会儿就脱下来——好吗?”

能脱就好了！我苦涩地想。

“再见。”说完，我拄着手杖，老态龙钟地向前门走去。

爸爸妈妈被我滑稽的走路姿势逗得直笑。

我不想笑，我只想哭。

只有一件事，让我强撑着没有把真相告诉他们，只有它才让我没有告诉爸爸妈妈，我被困在这个恐怖的面具里脱不了身，它把我变成了一个年迈体弱的怪物。

报仇。

我仿佛已经看到我的足球队员们脸上惊骇欲绝的表情，听到他们在恐惧中号叫着没命地逃跑。

这个想法让我心情一爽，支撑着我走下去。

我抓住门把手，千辛万苦地拉开门。

“斯蒂夫——等一下!”爸爸叫道，“照相机，等着，先照张相。”他去找照相机了。

“糖袋!”妈妈也叫道，“你忘记拿糖袋了。”她在壁橱里东翻西翻，找出一个两面印着小南瓜的购物袋。

我知道自己做不到一手拿拐杖，一手拿糖袋，不过还是接了过来，打算一出门就扔了它。我不准备玩“不给糖吃就捣乱”，因为我得花上半个小时，才能走完人家院子里的车道!

爸爸冲回客厅里。“说‘茄子’!”他叫着举起了小照相机。

我努力动了动虫子般的嘴唇，挤出一个微笑。

爸爸手里的照相机闪了一下，接着又闪了两三下。

闪光灯照花了我的眼睛，我说了声“再见”，走出门去。眼前的白光跟着我走进夜色里，我差点儿摔倒在门前的台阶上。

我抓住扶手，一直等到心跳平复，眼前的白光消退，这才拖着腿，慢慢走下车道。

这是一个清冷的夜晚，一丝风都没有，快要掉光叶子的树纹丝不动地站着，好像泥塑木雕一般。

我一摇一晃地走上人行道，向卡彭特大宅走去。天上

没有月亮，但街道上却比平时亮堂，大部分人家都打开了屋前所有的灯，欢迎玩“不给糖吃就捣乱”的小孩。

我把购物袋塞进邻居家车道前的垃圾桶里，接着走下去，手杖敲打在人行道上。

后背发疼，我的老腿瑟瑟颤抖，我拄着手杖，气喘吁吁。

走了半个街区，我不得不靠着路灯歇一下。幸好，卡彭特大宅就在下一个街区。

就在我继续上路的时候，两个小女孩快步走了过来，后面跟着她们的爸爸。一个女孩身上装着一对五颜六色的蝴蝶翅膀，另一个脸上画着浓妆，头戴金冠，身穿鲜艳的长裙。

“呀，他好丑哦。”走到我近旁，蝴蝶姑娘悄声对同伴说。

“恶心！”我听到公主回答道，“你看他鼻子上的绿东西。”

我把脸凑到她俩面前，猛地张开嘴巴，大吼一声：“别挡道！”

两个小姑娘惊恐万状，尖叫着跑走了。她们的父亲怒气冲冲地看了我一眼，追了上去。

“呵呵呵！”歹毒的怪笑冲口而出。

看到她们惊恐的表情，我身上又有了力气。我拄着手杖，咯噔咯噔地走过马路。

几分钟之后，卡彭特大宅出现在眼前。巨大的宅第黑压压地耸立着，没有人也没有光，角楼直指深紫色的夜空，就像城堡的塔楼一样。

野草丛生的前院草坪边上有一盏路灯，灯下聚着我的足球队员，他们是我的公猪队，我的一年级学生。

也是我的受害者。

他们全都化好了装。我看到有恐怖战士、忍者神龟，有木乃伊、妖怪，还有两只鬼，一个美女和一个野兽。

不过我马上还是把他们认了出来。因为他们在打打闹闹，吵吵嚷嚷，互相抢糖袋。

我拄着手杖，相隔半个街区看着他们，心跳加快，全身颤抖。

来了，我的重要时刻。

“好了，伙计们，”我自言自语地说，“好戏开始了。”

21 天哪！我真是老了！

我开心地哆嗦着，拖着两条腿向他们走去，走到灯光下，两片肥虫般的嘴唇扭曲着，露出充满蔑视的可怕笑容。

我挨个儿地看着他们，让他们有机会看清我那张叫人心惊胆战的面孔，让他们有机会看到蜘蛛在我的头发里钻进钻出，看到我牙齿上的虫洞，看到我撕开的头皮下露出来的头盖骨。

他们顿时鸦雀无声，我能感觉到他们落在我身上的视线，能感觉到他们立即害怕起来。

我张开嘴，想发出骇人的咆哮，吓得他们一边跑一边哭爹喊娘。

但是，没等我叫出声来，身穿白色新娘装，头戴面纱的玛琳·洛森从人群里走了出来，站在我面前。“需要帮助吗，先生？”她问道。

“你迷路了吗？”一位恐龙战士问。

“要给你指个方向吗？”

“要不要我们把你带到哪儿去？”

不，不！

这反应不对，跟我的预想——我的梦想——不一样！

玛琳拉住了我的胳膊：“你要去哪里，先生？我们跟你一块儿去。今天晚上走在不认识的地方会有点吓人哦。”

其他孩子挤了过来，想帮助我。

想帮助一位老人，一位一丝一毫都不叫他们害怕的老人。

“不——”我吼叫着大声提议，“我是卡彭特大宅里的鬼魂！你们侵入我的前院，我是来惩罚你们的！”

我想尖声叫喊，却只发出微弱的哼唧声，所说的话他们大概一个字都没听到。

我是来恐吓他们的，我对自己说，这事儿一定要办到！

我举起两只手，做出一副要掐死他们的模样。

手杖脱手飞了出去，我一下子失去平衡，跌跌撞撞直往后翻。

“啊……”我一屁股跌坐在人行道上，不由得哼出声来。

他们发出一片惊叫声，但不是出于害怕，而是在为我担心。

一双双热情的手伸过来，将我扶起。

“你没事吧？这是你的手杖。”我听出这是“鸭子”本敦那刺耳的嗓音。

周围响起一片充满同情的低语。“真可怜。”有人在说。

“你疼吗？”

“要不要我们帮帮你？”

不，不，不，不，不。

他们不害怕，连一星半点的恐惧都没有。

我用手杖撑着身体，忽然觉得精疲力竭，我已经累坏了，连头都抬不起来了。

别再想着恐吓他们了，斯蒂夫，我对自己说，趁你还没倒下，还是去嘉丽·贝丝家吧，要从嘉丽·贝丝那里找到脱下面具的办法，恢复你以前的样子——和力气。

玛琳还在扶着我那哆嗦不停的胳膊。“你想去哪里？”她问道，布满雀斑的脸上充满关切。

“呃……你知道嘉丽·贝丝·考德威家在哪儿吗？”我虚弱无力地哑声问道。

“就在下一个街区，在马路对面，我认识她弟弟。”我听到安德罗·维斯狄说。

“我们带你去。”玛琳主动地说。

她紧紧地握着我的手臂。一个“木乃伊”走过来，扶住我的另一只手。他们扶着我，轻轻地，慢慢地沿人行道走下去。

居然会有这种事！我愤愤地想道，本来他们应该吓得魂飞天外！他们这会儿应该吓得鬼哭狼嚎的！

然而，他们却在搀扶着我走路。

我叹了一口气。可悲的是，我疲惫不堪，软弱无力，没有他们的帮助，根本走不到嘉丽·贝丝家。

他们扶着我走上她家的车道，然后我向他们道谢，说我可以自己走完剩下的路程。

我看着他们散开，去玩“不给糖吃就捣乱”的游戏。“我猜斯蒂夫不会来了。”“鸭子”说。

“也许他是个胆小鬼，万圣节之夜不敢出门！”玛琳促狭地说。

他们都笑了。

用力拄着手杖，我转身向嘉丽·贝丝家走去。屋子里灯火通明，但从窗户里望去却看不到人。

她可能还在外面玩“不给糖吃就捣乱”，我心想。

唧唧喳喳的说话声传来，砾石路上响起了脚步声。

我转过身，看到了嘉丽·贝丝和她的朋友萨布丽娜，她们正兴冲冲地穿过草坪，向她家走去。

我认出了嘉丽·贝丝的鸭子化装服。每一年她都是这个打扮，除了去年万圣节，她戴着那只恐怖的面具。

萨布丽娜的打扮好像是个超人之类的角色，穿着银色的紧身衣和银色的长斗篷，脸上还罩着银色的面具，但她那一头长长的黑发我还是认得的。

"嘉丽·贝丝——"我想大声叫出来，但只能发出蚊子似的声音。

她和萨布丽娜还在兴高采烈地说着话，急急地走在草坪上。

"嘉丽·贝丝——拜托!"我叫道。

走到半路，她们一起转过身来，看到了我。

太好了!

"嘉丽·贝丝——"我喊着她的名字。

她摘下鸭子面具，向车道走了几步，仔细地看着我。"你是谁啊?"

"是我!"我有气无力地说，"我——"

"上次是你打电话找我吗?"她毫无表情地问道。

"嗯……是的，"我嘶哑地说，"嗯，我需要——"

"哼，快走!"嘉丽·贝丝尖声说道，"你为什么跟踪我? 快走，不然我要叫我爸爸了!"

"可是……可是……可是……"我急得语无伦次。

两个女孩转过身，向屋子跑去。

留下我孤独无助的一个人站在车道上。

留下我不管。

见死不救。

22 嘉丽，救我！

我发出悲惨的哀叫。“嘉丽·贝丝——是我！是我！斯蒂夫！”我叫道，“斯蒂夫·鲍斯威尔！”

她听到了吗？

是的！

她和萨布丽娜走上通往前门廊的石路，在从门廊射出的黄色光影里，我看到她们转过身来。

“是斯蒂夫！我是斯蒂夫！”我连声地说，急切的呼喊让我喉咙一阵疼痛。

两个女孩向我走近，走得很慢，充满了戒备。

“斯蒂夫？”嘉丽·贝丝紧紧地注视着我，张大了嘴。

“那是个面具吗？”萨布丽娜问着，向嘉丽·贝丝挨近一点。

“是的，是个面具。”我哑声说。

“呸，真难看!”萨布丽娜把面具摘下来，想看得更清楚些，“还有蜘蛛？恶心!”

“我需要你们的帮助，”我直接地说，“这个面具——”

“你去了那家玩具店!”嘉丽·贝丝叫了起来，双手捂着脸颊，鸭子面具从手里落下，掉在地上，“啊，不！天哪！斯蒂夫，我警告过你的!”

“是的，就是从那儿弄到的，”我指了指自己丑陋的面孔，“我没听你的话，不知道会这样。”

“斯蒂夫，我叫你不要去的。”嘉丽·贝丝的脸上还是充满了恐惧，两只手仍然紧紧地按在脸上。

“现在面具脱不下来了，”我带着哭腔说道，“它贴在我身上了，成了我的一部分，它……它还把我变成一个很老的老头子，不中用的老头子。”

嘉丽·贝丝难过地摇着头，看着我丑恶的脸，一句话都没有说。

“你一定要帮帮我，”我乞求地说，“帮我把这个面具脱下来。”

嘉丽·贝丝心慌意乱地叹了一口气：“斯蒂夫——可能不行啊。”

23 爱的标志

我一把抓住她身上的鸭毛。“你一定要帮我，嘉丽·贝丝，”我哀求着她说，“为什么不能帮我呢?”

“我想帮你，”她辩解说，“可是没有把握。”

“可是，你去年万圣节在同一家商店买了面具，”我反驳说，“你的面具脱下来了，你摆脱了它——对不对?”

“它是脱不下来的，”嘉丽·贝丝说，“没有任何办法可以把它脱下来。”

我向她身后看去，看到三个穿着化装服的小孩站在隔壁人家的门前。一个女人站在门口，把糖果倒进三只糖袋里。

其他的孩子都在度过一个快乐的夜晚，我酸楚地想道。

我今晚却一点都不快乐。

我也许永远都愉快不起来了。

“进屋吧，”嘉丽·贝丝提议，“外面好冷，进去我会向你解释的。”

她们走上车道，我想跟上去，但两条腿像橡皮做的一样直晃荡。我简直是被嘉丽·贝丝和萨布丽娜抬进屋的，然后又被她扔在了客厅里的绿色皮沙发上。

房间对面的桌子上，一只南瓜灯正朝我龇牙咧嘴地笑着，我的牙齿还没有南瓜灯的多！

嘉丽·贝丝坐在沙发扶手上，萨布丽娜在她旁边，挨着一张扶手椅坐下了，然后低着头，在糖袋里翻翻拣拣。都这个时候了，她怎么还有心思想着糖果呢？

我转向嘉丽·贝丝。“怎么把面具脱下来？”我沙哑地问。

嘉丽·贝丝咬紧下嘴唇，抬起眼睛看着我，神情严峻。“它不是一个面具。”她慢慢地说道。

“什么？”我叫道。

“它不是面具，”她向我解释说，“它是一张真正的脸，活的脸。你遇到那个披斗篷的男人了吗？”

我点了点头。

“我猜，他是个古怪的科学家，这些脸是他造出来的，在实验室里。”

“他……他造出来的？”我结结巴巴地问。

嘉丽·贝丝神色凝重地点了点头。“它们是真正的、活着的脸。披斗篷的男人想把它们造成好看的样子，但某个环节出了问题，它们全都丑恶无比，就像你戴的那只一样丑。”

“可是，嘉丽·贝丝——”我开口想说话。

她举起一只手，示意我别说话。“披斗篷的男人给这些脸起了个名字，叫‘没人爱’。谁都不想要这些面具，因为它们太丑陋了，它们是‘没人爱’的，它们是活生生的。一旦有人靠得很近，它们就会紧紧地贴上去。”

“可是，要怎么才能把它摘下来?”我烦躁地喊着，举起手，拉扯着我满是黑痂、坑坑洼洼的脸颊，“我可不想一辈子这样，我该怎么办呢?”

嘉丽·贝丝跳了起来，在我和萨布丽娜面前来来回回地踱着步。萨布丽娜打开一块牛奶巧克力，边吃边看着嘉丽·贝丝走过来又走过去。

“去年万圣节，在我身上也遇到了同样的事情，”嘉丽·贝丝说，“我选了一个极丑极丑的面具，它太恐怖了，紧紧地贴在我的头上，把我变成了一个恶魔。”

“然后你怎么办?”我拄着手杖凑过去问。

“我回到玩具店，找到了那个披斗篷的男人，他告诉我，要摆脱面具，那就是，只有爱的标志才能做到这一点。”

“啊?”我张大嘴看着她，一点都不明白。

“我必须找到一个代表爱的东西，”嘉丽·贝丝说，“一开始，我不懂他的意思，不知道该怎么办好，但是后来我想起了妈妈为我做的一个东西。”

“什么?”我心急火燎地追问，“是什么?”

“是那个头像。”萨布丽娜插了一句，嘴里被巧克力塞得鼓鼓的。

“妈妈为我塑了一尊头像，”嘉丽·贝丝说，“非常逼真，你见过的。妈妈是因为爱我，才造了这个头像，这就是一个爱的标志。”

嘉丽·贝丝重新在我身旁坐下。“我把妈妈的头像套在那‘没人爱’面具上，然后那‘没人爱’就消失了，丑脸立即脱落了。”

“好!”我兴奋地叫道，“拿来吧，快点!”

“啊?”嘉丽·贝丝看着我，满脸不解。

“去把头像拿来啊，”我央求说，“一定要把这东西从我脸上弄下来!”

嘉丽·贝丝摇摇头。“你没明白，斯蒂夫。你不能用我的爱的标志，它只对我起作用，你必须找到自己的标志。”

“也许找到也不管用，”萨布丽娜又插进来说，“也许每个面具都不一样呢。”

“饶了我吧，萨布丽娜，”我气恼地说，“一定要有用！你不明白吗？一定要有用！”

“你必须找到自己的爱的标志，”嘉丽·贝丝又说了一次，“能想起来吗，斯蒂夫？”

我张大眼睛望着她，苦苦思索。

想啊，想啊。

爱的标志……爱的标志……

不，我想不起来，一个都想不起来。

就在这时，一个念头在我脑子里闪了出来。

24 救命的饼干

我用力撑着手杖，想把自己从沙发上撑起来，但虚弱无力的手臂丝毫用不上力，我又跌回了沙发里。

“你得帮我回家一趟，”我对嘉丽·贝丝说，“我想到了一个爱的标志，在我家。”

“好，走吧!”她答道。

“可是待会儿大家都来了怎么办?”萨布丽娜吞了一口巧克力问道，“派对怎么办?”

“你留下来招待他们吧，”嘉丽·贝丝对她说，“如果斯蒂夫在家里找到了爱的标志，而且它有用的话，我们很快就能回来的。”

“会有用的，”我说，“肯定会。”

但是我暗中交叉手指，做了个祈祷的手势，结果想从沙发里站起来变得更难了。

嘉丽·贝丝看到我费了半天劲儿也站不起来，便伸出双手将我拉起。“呸！你耳朵里是什么东西在爬来爬去?”她满脸厌恶地叫道。

“蜘蛛。”我轻轻地说。

她用力咽了咽口水：“我真的很想帮你找到解决的办法。”

“我也一样。”我喃喃地说着，跟着她向门口走去。

嘉丽·贝丝又折回客厅里，朝萨布丽娜说了一句：“我们不在的时候，你可不要把巧克力全吃光啊。”

“我才吃第二块呢!”萨布丽娜含着满嘴的巧克力说。

我们走进夜色之中，几个穿着化装服的孩子正走上她家车道，每人手里的糖袋都满满当当的。“嘿，嘉丽·贝丝——你上哪儿去?”一个女孩喊道。

“做好事去!”嘉丽·贝丝答道，“待会儿见!”她向我转过身来，说道，“你居然不听我的话，斯蒂夫，你现在的样子真够恶心的。”

“我鼻子上还挂着两团绿色的黏东西呢，擦都擦不掉!”我悲惨地说。

她一只手撑着我，带我走向自己的家。我们穿过街道，来到我家的街区，街角的一座房子里传来孩子们的嬉笑声和震耳的音乐声，那是有人在开万圣节派对。

走过这座房子时，一个活动的黑影绊了我一下，嘉丽·贝丝及时扶住了我，我才没有摔一大跤。“什么东西?”我叫道。

我看见它悄无声息地奔到了马路对面，原来是一只黑猫。

我笑了。不然还能怎样呢?只好笑一笑就算了。

来吧，猫咪，我郁闷地想道，来挡我的道吧。我的运气已经坏得不能再坏了——不是吗?

走过一排高高的常绿灌木，我的家出现在眼前。从枝叶的缝隙中看过去，我家楼下的每一盏灯几乎都开着。

“你爸爸妈妈在家吗?”嘉丽·贝丝一边扶着我走上草坪，一边问道。

我点了点头：“嗯，在家。”

“他们知道这个……呃……”

“不，”我答道，“他们以为只是化装。”

我们走上前门的台阶，火花在屋里叫了起来。我推开门，小狗快活地汪汪大叫，往我身上扑。

它的爪子搭在我的腰上，我被它猛地一推，向后便倒，靠在了墙上。

“下来，火花！拜托！下来！”我用老人的嗓音乞求道。

我知道，火花看到我很开心，但我现在年老体弱，已经受不了它的欢迎仪式了。

“下来，伙计！求你了！”

嘉丽·贝丝终于把狗拉开，我这才站直身子，然后她一直按着火花不放，等我站稳。

“斯蒂夫——是你吗？”妈妈的声音从书房传出，“这么早就回来啦？”

妈妈走进客厅，她已经换上了晚上休闲时穿的灰色法兰绒家居服，满头金发都塞进了鬈发夹里。

“啊，嗨，嘉丽·贝丝！”她惊诧地招呼道，“没想到有客人来，我——”

“没关系的，妈妈，”我哑声说，“我们就待一会儿，回来取东西。”

“你喜欢斯蒂夫的化装服吗？”妈妈向嘉丽·贝丝问道，“是不是从来没有见过这么可怕的面具？”

“难道您的意思是，他戴了面具吗？”嘉丽·贝丝打趣地说了一句，和妈妈一起笑了起来，火花在一旁嗅我的鞋子。

“回来拿什么呢？”妈妈问我。

“黑白饼干，”我赶紧答道，“你知道，就是昨天你给我买的那些。”

这些饼干代表了爱。

妈妈告诉我，她专门绕道两英里，为我去买这些饼干，她知道这是我顶爱吃的东西，她专门绕道去给我买，是因为她很爱我。

所以，这些饼干就是非常好的爱的标志。

我急不可待地想吃上一口。只要一口，我知道——就能把这只可怕的面具从脸上摘下来。

妈妈满脸的惊讶，她眯缝起眼睛，仔细地打量着我。“你专门回来就是为了拿饼干？为什么？你玩‘不给糖吃就捣乱’得到的糖果呢？”

“呃……嗯……”我支支吾吾地答不上来，找不到一个合理的解释。

“他想饼干想得要命，”嘉丽·贝丝接话道，“他对我说，一整个晚上，他都在想着那些饼干。”

“没错，想得要命，”我也说道，“糖跟它没法比，妈妈，这种饼干是最棒的。”

“我也很爱吃，”嘉丽·贝丝加上一句，“所以跟着斯蒂夫来了。我们想带到万圣节派对上去。”

妈妈发出啧啧的声音。

“真可惜。”她说道。

“啊?”我的心一沉，“什么意思？怎么了?”

妈妈摇着头。“饼干没有了，”她轻声回答道，“今天早上，小狗找到了装饼干的盒子，弄开了，很抱歉，孩子们，火花把饼干全吃光了。”

25 “火花”等于“爱”

妈妈的话让我全身打起了冷战。我痛苦地哼了一声，低眼向火花看去。

小狗昂头看着我，摇着粗粗的短尾巴，好像对自己的所作所为很满意！

“我这一辈子都被你毁了，火花！”我想对它放声尖叫，“你这只贪吃的狗！就不能给我留下一块吗？这回我完蛋了，永远别想把这恶心又吓人的面具从脸上摘下来了。”

这一切，都是因为火花和我一样，最爱黑白饼干。

火花摇着尾巴，跑到我身边，毛茸茸的黑身子在我腿上蹭，想让我摸摸它。

想得美，我心想，我才不摸你——你这个小人！

爸爸在书房里叫妈妈。“祝你们玩得高兴，孩子们。”妈妈说着对嘉丽·贝丝和我挥挥手，急急忙忙地跑去看爸

爸有什么事。

玩得高兴，孩子们？

我永远也高兴不起来了，我心想。

我又累又沮丧，转过脸去看着嘉丽·贝丝。“现在可怎么办呢？”我轻声问道。

“快……把火花抱起来。”她同样轻声地说，用两只手朝狗比画着。

“嗯？为什么？我再也不想碰这只狗了！”我伤心地哑着嗓子说。

火花呼哧呼哧地喘着气，长长的舌头都快垂到地上了，又在我的脚边蹭来蹭去。

“把它抱起来！”嘉丽·贝丝用一种不容商量的口气说。

“为什么啊？”

“火花就是爱的标志！”嘉丽·贝丝说道，“你看看它，斯蒂夫，你看它多爱你啊。”

“它爱死我了，所以把我的饼干通通吃光！”我叫道。

嘉丽·贝丝不满地看着我：“别再想饼干了，把狗抱起来，火花是你的爱的标志，抱起来，搂紧它，我敢打赌面具会松开的。”

“也许值得一试。”我小声地说着，向黑色小猎犬伸出手去。一弯腰，我的后背就发出一连串咯咯声，疼痛的膝盖发出爆响。

天灵灵，地灵灵！我无声地乞求着，保佑这个办法管用吧！

我向火花伸出手——它却从我手里冲了出去，朝书房跑去。

“火花——回来！火花！”我僵硬地弯着腰，伸着双手喊道。

小狗在客厅中间停下脚步，转过身来。

“回来，火花！”我衰老的声音哆哆嗦嗦地叫道，“回来，小子！到斯蒂夫这边来！”

它又摇起了粗短的尾巴，歪着脑袋看我，一动不动。

“它在和我玩呢，”我对嘉丽·贝丝说，“想逗我去追它。”

我跪在地上，向火花伸出双手：“来，小子！来！我太老了，追不动你了！来，火花！”

叫人惊奇的是，小狗汪地叫了一声，跑回来，跳进我的怀里。

“紧紧抱着它，斯蒂夫，”嘉丽·贝丝指示说，“紧紧抱着，会有用的，肯定！”

在我酸疼无力的手臂里，小狗的身体是那么沉重，但我还是将它搂在胸口，紧紧地搂着。

尽力地搂紧它。

尽可能久地搂着它。

然而什么事都没有发生。

26 回到玩具店

大概过了一分钟，小狗被抱得不耐烦了，从我怀里钻出来，蹦蹦跳跳地跑过地毯，钻进了书房。

我用两只手去拉面具。

不过，我知道这是白费力气罢了。它一点动静都没有，什么都没改变，那张丑恶的脸还是紧紧地贴在我的头上。

嘉丽·贝丝将一只手轻轻地放在我的肩头。“对不起，”她喃喃地说，“我想，每只面具可能都是不一样的。”

“你是说，我得用其他办法才能把它脱下来?”我伤心地摇了摇爬满蜘蛛的衰老的脑袋。

嘉丽·贝丝点了点头：“是的，其他办法，只是我们现在还不知道。”

我发出绝望的哀叫。“我完了！”我凄惨地叫道，“我连站都站不起来了！”

嘉丽·贝丝用两只手托着我的胳肢窝，将我扶起来。我靠在手杖上，定了定神。

然后想到了一个办法。

“披斗篷的男人，”我说，“他肯定会知道我该怎么办。”

“没错！”嘉丽·贝丝眼睛一亮，“没错，你说得对，斯蒂夫。去年万圣节他帮助过我，如果我们回到那个玩具店，他也能帮助你的！”

她马上拉着我向大门走去，但我没动。“只有一个小问题。”我告诉她说。

她转过身看着我。“有问题？”

“嗯，”我答道，“我忘记告诉你了，玩具店已经停止营业，再也不开门了。”

不管怎样，我们还是走过去了。呃，确切地说，我不是走去的，我是拖着两条腿去的。我越来越没力气，越来越虚弱，一路上简直是嘉丽·贝丝在拖着我。

街上空无一人，笼罩在昏暗的路灯光里。各家各户的灯都已熄灭，夜已经深了，玩“不给糖吃就捣乱”的孩子已经回了家。

两条狗跟了我们一路，个头很大的德国牧羊犬，也许以为我们会给它们一些万圣节的糖果。当然，我一颗糖都没有。

“走开，”我向它们呵斥道，“我再也不喜欢狗了，狗一点用处都没有!”

没想到，它们好像听懂了，转身大步跑过黑暗中的前院草坪，绕到一户人家的后面不见了。

几分钟之后，我们走过一排小店，来到玩具店的前面。这儿空荡荡、黑洞洞的。

“停业了。”我喃喃地说。

嘉丽·贝丝敲着店门，我往灰扑扑的橱窗里看去，望着里面蓝黑色的阴影。没有任何活动的东西，里面没有人。

“开开门！我们需要帮助!”嘉丽·贝丝大喊，用两只拳头敲打木门。

里面一片寂静，什么动静都没有。

一股冷风卷过街道，我打了个寒战，只想把那颗丑陋的脑袋缩进肩膀里。“走吧。”我放弃了，喃喃地说道。

完了。

嘉丽·贝丝却不甘心，仍然不停地砸着大门。

我从橱窗前转过身——看着商店旁边的小巷。“哇，慢着，”我向她叫道，“上这儿来。”

我艰难地向小巷走去。嘉丽·贝丝一边揉着手指关节，一边跟了上来。这么用力地打门，她的手一定很疼。

站在人行道上，我看到井盖门是关上的，但还是带着嘉丽·贝丝走进巷子，来到井盖门旁边。

“这儿可以通到玩具店的地下室，”我向她解释说，“所有面具，还有其他一些东西，都在里面。”

“如果进得去，”嘉丽·贝丝悄声说，“也许能找到帮助你的办法。”

“也许吧。”我也悄声地答道。

嘉丽·贝丝俯下身，抓住井盖门上的铁拉手，用力一掀。

井盖门没有动。

“好像锁住了。”她懊恼地说。

“再试试，”我催促她说，“这个门很紧，很难打开。”

她又俯下身，双手握住拉手，再次用力。

这一次，门掀起来了，露出下面的水泥楼梯，一直通向地下室。

“来，快点儿，斯蒂夫。”嘉丽·贝丝拉住我的胳膊。

最后的机会，我心想，最后的机会。

我颤抖着，跟在她身后，走进浓浓的黑暗中。

27 蜘蛛服

我们紧紧地挨在一起，走进地下室。淡淡的路灯光从打开的井盖门里照了进来。

地下室的里头，仍然传来上一次听到过的滴答声。大纸箱还是上次我和恰克搬动后的样子，其中三四个还是打开的。

“好，我们到了。”嘉丽·贝丝低低的声音显得很空洞，在地下室的石壁中带起轻微的回声，她四处打量了一番，然后看着我，“接下来怎么办?”

我耸耸肩：“要不，在纸箱里翻一翻?”

我走到最近的纸箱边，往里面瞧了瞧。“面具都在这只箱子里。”我说着，拿起一只长满毛的鬼怪面具。

“真恶心，”嘉丽·贝丝受不了地说，“放下，我们可不想再要什么面具了。”

我把面具扔回箱中，它发出啪的一声轻响，落在别的面具上。

“不知道咱们需要的是什么，”我说，“不过，也许可以找到一些……”

“看这些！”嘉丽·贝丝叫了起来。她打开了另一只纸箱，拿起一条连身裤，后面还有一条长长的尖尾巴。

“那是什么？”我绕开两只箱子走了过去。

“化装服。”她答道，接着俯身又拉出一件，这是一条毛茸茸的紧身衣，上面布满了豹子的斑点，“这一箱全是化装服。”

“棒极了，”我嘟囔着说，“不过对我没什么用。”

接着，我叹了一口气，又说了一句：“没有对我有用的东西。”

嘉丽·贝丝好像没听到，她扒着箱子边，又扯出一件化装服举在面前仔细看。这件礼服是黑色的，很精美，像是燕尾服。

我看着它，脸上突然有麻麻的感觉。

“放下它，”我不高兴地说，“我们要找的是——”

“啊，真恶心！”嘉丽·贝丝叫了起来，“这件衣服——上面爬着蜘蛛！”

“啊？”我吃了一惊，脸上更麻了，耳朵里嗡嗡声大作，脸上发麻的感觉变成了痒。

“嘿，我敢打赌，这件化装服跟你的面具是配套的!”嘉丽·贝丝将它朝我递过来，“看到了吗？蜘蛛配蜘蛛!”

我抓了抓发痒的脸颊，痒又变成了疼，我更用力地抓着。

“拿开！它弄得我直痒痒!”我大叫。

嘉丽·贝丝不管三七二十一，把那件亮闪闪的黑衣服举到我面前，在我又痒又烫的面孔下面展开。

“看到了吧？头在你身上——这个是跟头相配的身子。”她把衣服按在我身上欣赏着。

“拿开它!”我尖声叫起来，“我的脸——像烧着了一样！啊!”

我发疯似的拍打自己的脸颊，还有额头和下巴。

“啊——”我大声号叫，“感觉好怪啊！我到底怎么了?”

28 难兄难弟

“烫死啦!”我惨叫道，“啊！怎么回事啊?”

我挠着两腮，想缓解那火烧火燎的痛楚。

就在我抓住脸颊的时候，那张脸在手里动了起来。

我感觉到它开始上升，上升，上升。

我松开手——老人的头从我的头上松开，脱落，向上升起。

冷气扑面而来，我深深地吸了一口清新凉爽的空气。

那张面具向下落去，落到礼服的领子上。

礼服的胳膊猛地伸出，嘉丽·贝丝顿时一声惊叫。裤腿四处乱踢，那礼服扭动着，挣扎着，仿佛想挣脱开去。

嘉丽·贝丝松开手，连退几步。

裤腿软软地垂向地面，丑陋的老脸上，一抹微笑浮现出来。随后，只见衣袖挥舞，裤腿跳动，老人微微地舞动了一下。

接着，他在我们面前转过身去，头支在衣服上，裤腿的膝盖处弯下来，拖着脚步走向台阶。

老人走上楼梯，走出井盖门，而后消失不见。我和嘉丽·贝丝震惊地看着这一切，不约而同地叫了起来。

我们站在那儿，瞪着双眼，嘴巴张得老大，看着楼梯顶上的洞口，沉默地看着，惊讶地看着。

然后，我们放声大笑。

我们紧紧拥抱，笑啊，笑啊，笑得眼泪从脸上滑下来。

我越笑越响，越笑越欢，好像这一辈子都没笑过一样。因为，我是用自己的声音笑，用自己的脸在笑。我真正的脸。

老人的脸找到了他的身体——逃走了。

现在，我又是我自己了！

这是我所过的最棒的万圣节！我从来没有为生活恢复正常而这么开心过！

我和嘉丽·贝丝手舞足蹈地走在大街上，一起向家的方向走去。我们放开喉咙，纵声欢唱，边唱边围在一起转圈子，我们在马路中央跳舞，昂首阔步。

我们俩真开心啊！

离我家还有半个街区——一个藏在树篱后面的东西

猛地扑了出来。

它张开大嘴，露出破破烂烂的牙齿，发出惊天巨吼。

嘉丽·贝丝和我一把抓住对方，在惊骇中尖叫起来。

那东西长着浅紫色的脸皮，在路灯下微微发亮，血红的眼睛怒目圆睁，满嘴都是破碎的烂牙，在它的脸颊中央，一条肥大的褐色虫子钻了出来。

“啊?”我看着虫子在那东西的皮肤上颤动，看着那张恐怖的紫脸。

然后认了出来。

“恰克!”我大叫一声。

他在面具后面发出嘶哑的笑声。“吓到你们啦!”他吼叫着说，“你们俩都吓坏啦！刚才你们那副样子可真好看!”

“恰克——”

“我一直在这儿等着呢，等着吓唬你们。”他嘶声说道。一边说，他脸上那条恶心的虫子一边上下抖动。

“我从玩具店的地下室跑出去的时候，拿了这只面具，你没有看到，”他雷鸣般地吼道，“我一直没跟你说，想把你好好吓一跳。”

“你差点儿把我吓死了!”嘉丽·贝丝开玩笑地推了他一下，“现在快把面具摘了吧，去我家玩儿。”

“呃……有个问题。”恰克的声音低了下来。

“问题?”

恰克点了点头：“这个小问题是，我这个面具摘不下来。你们有办法吗?”

预告

冰 湖 惊 梦

（精彩片段）

15 寒冷的灰色世界

我挣扎着向岸边游去。

我的脚一点感觉都没有，当我踉跄着从水里走出来的时候，根本感觉不到脚底的泥地。

我揉搓双臂，却感觉不到自己双手的触摸。水沿着后背，从身上流下，我却一点感觉也没有。

无知无觉，全身都是木的。

“人呢？”我大声叫道。

我发出声音了吗？有声音吗？

我听不到。

我踏上草地，像狗一样抖了抖身子。

想让冰冷麻木的身体恢复一些感觉。

“你们在哪儿？”

我抱着胳膊，摇摇晃晃地向前走，看到倒扣着堆在岸

上的独木舟，不由得停了下来。

今天不是有营员划独木舟吗？这些独木舟不是全都划出去了吗？

“喂！”我喊了一声。

可是，为什么我听不到自己的叫声？

“人呢？”

湖岸上一个人都不见。

我转了个身，身子一歪，差点倒下去。水里也没人。

没有人，到处都没有人。

我脚步不稳地从盖着帆布的救生衣和橡皮艇旁边走过。

这些东西不是要用的吗？我不明白，为什么被盖起来了？

为什么这里突然间冷冷清清，人散得干干净净？

我抖抖颤颤地抱着胳膊，向宿营区的小屋走去。看到那儿的树，我不由得大吃一惊。

秃秃的，像在冬天掉光了叶子一样。

“不！”惊骇的号叫冲出喉咙，无声的号叫。

有人能听到我的叫声吗？

这些树是什么时候掉的叶子？为什么会在盛夏时分落叶？

我踏上小路，小步疾跑，向小屋跑去。真冷，好冷啊！

有什么东西挂在了我的肩头，又有一些落在眼皮上，痒痒的。

雪花？

是的，细小的白色雪花飘落下来，被微风轻轻扬起，风中的树枝飒飒抖动，发出咔啦啦的声响。

我擦掉落在头上的雪花。

雪？

但这是不可能的。

完全不可能。

“喂……”我的叫声在林中回荡。或者，没有声音，也没有回声？

有人听得到我战战兢兢的叫声吗？

“救——命！”我放声叫道，“快来人哪，救命！”

寂静，只有头顶树枝碰撞的声响。

我又跑了起来，赤着的双脚无声地跑过冷冰冰的地面。

跑出树林，宿营地出现在眼前，平平的屋顶上覆盖着一层薄薄的积雪。

地面与天空一样灰暗，每间小屋里都是灰的，木板墙也是灰的，一片灰色包围了我。

寒冷的灰色世界。

走到最近的一间小屋面前，我推开门。“喂——我需要帮助!”我叫道。

我看着空荡荡的房间。

没有人。没有行李，没有散乱的衣物。

我抬眼向墙边的双层床看去，毯子、床单、床垫——全都不见。

大概这间小屋没人住，我心想。

我退出房间，跑过一排小木屋，一间间全是空空荡荡的，没有人声。

我住的小屋静静伫立在小路开始上坡的地方，我松了一口气，推开房门。

“布里安娜？梅格?”

空荡荡的，黑黢黢的。

没有床垫，没有海报，没有衣物，也没有箱子袋子。

一点有人住过的痕迹都没有。

“你们在哪儿?”我尖声叫道。

然后又叫了一句：“我这是在哪儿?”

我的东西呢？我的床呢？

随着一声心惊胆战的号叫，我冲出了小屋。

预告

红魔肉团

（精彩片段）

26 梦游症患者

“啊！”我发出一声惊呼，张大嘴巴，看着那半头牛慢慢地晃动，前前后后地晃动。

“鲜肉……”那个嘶哑的声音又来了，“鲜肉……”

“不要！”惊叫冲口而出。

我扔下了手里的购物篮。

一步一步朝后退去。

随着我的又一声惊呼，肉柜后面走出了亚当，笑得满脸都开了花。

“鲜肉……”他装神弄鬼地说了一句，然后哈哈大笑。

安妮和埃米接着也从陈列柜后面走了出来，边摇头边哧哧地笑。

“好玩死啦！”安妮大喊一声。

“赛奇，你的脸红得像只大虾米！”她姐姐笑着叫道。

我的脸就像太阳一样，又红又烫，恨不得有条缝给我钻进去。这么蠢的恶作剧，我怎么会上当呢？

现在可好，他们在学校里肯定会逢人就说，我被一块牛肉吓掉了魂儿！

“你们在这儿干什么？”我尖声问道。

“我们看到你骑着自行车经过，”亚当答道，“就跟着你进来了，没看到吗？我们就在你身后。”

“啊！”我恼羞成怒，两手紧紧地握成了拳头。

“这儿是怎么啦？”杰克太太的粗嗓门震得货架哗哗响，“你们这些小孩子在干什么？”

“没什么！”我喊道，“我……我找到金枪鱼了！”

然后，我又转过去，对亚当和那对双胞胎说：“别闹了！”

莫名其妙地，这话又叫他们好笑起来。他们嘻嘻哈哈，互相击掌。

亚当伸出双臂，直挺挺地平举在身前，像个梦游者一样，迈着僵硬的双腿从过道里向我走来。

“你控制了我，赛奇！”他做出一副机械的嗓音，“我听从你的命令。”

他摇摇晃晃，像个僵尸似的向我走来：“你的打字机控制了我，赛奇，你的打字机有超能力！我是你的奴隶！”

“亚当——这样很没劲！”我叫道。

那对姐妹咯咯笑着，同样闭上眼睛，伸直手臂向我走来。

“我们听从你的命令。”埃米拿腔捏调地说。

“你控制着我们的一举一动。”安妮说。

“这不好玩！”我气急败坏地叫道，“走开，你们这些家伙！你——”

我转过身去，看到杰克太太向我们冲了过来，脸涨得和口红一样颜色。“你们这是在干什么？”她吼声如雷，“这里不是玩的地方！”

亚当和两个女孩立即放下梦游症患者似的胳膊，安妮和埃米连连后退，靠在了肉类陈列柜上。

“你们到底买不买东西？”从收银台走到这里的漫长路途让杰克太太直喘粗气，火冒三丈，“不买就赶紧走，到运动场玩儿去。”

“这就走。”亚当含含糊糊地应了一句。杰克太太的庞大身躯把通道堵得死死的，亚当过不去，只好从另一头跑了。

安妮和埃米紧随其后。

杰克太太怒气冲冲地看着我。

“我……我快好了。”我结结巴巴地说着，赶紧拾起购物篮。我到处找那张购物单，但是没找到。

没关系，我记得上面写的是什么。

我找到其他要买的东西，放进了购物篮，杰克太太寸步不离地在一旁监视着我。

然后她带着我回到店门口。

我付了钱就赶紧走出商店。亚当和那对姐妹让我气昏了头，连买糖的事都忘了。

他们总爱捉弄我，我恨恨地想。

总是拿我搞恶作剧，总是出我的洋相。

总是这样，总是这样。

我受够了，我完完全全地受够了！

“够了够了够了！”我一路念叨着回到家，跳下自行车，听凭它哗啦一声倒在车道上也不管，直接冲进家里，把购物袋往煮食台上一扔。

“够了够了够了！”

我心想，再不冷静下来，我肯定会发疯的。

我跑回自己的房间，往打字机上装了一张新纸。

接着，我重重地坐进椅子里，急切地开始打字，写第三个肉团妖怪的故事，最恐怖的一个。

我用最快的速度打下每一句话，几乎连想都不用想，让心中的怒气指挥着自己的大脑。

这一次我没有打草稿，也没有构思，连自己都不知道下一步的情节是什么。

我就这么坐在那老式打字机前埋头打字。

在这故事里，丑陋无比的粉红色肉团妖怪袭击了整个小镇。人们哭爹喊娘，散向四面八方，拼命地逃跑。

两名警官站出来，抵抗肉团妖怪。它张开血盆大口——将他们活活地吞了下去！

惊骇绝伦的尖叫充斥着整个小镇，巨大的肉团妖怪见到活人就吃！

“好！”我欢呼，“好！”

我要报复每一个人，报复整个镇子。

“好！”

这是我写过的最激动人心、最可怕的故事，纸打满了一页又一页。

“赛奇——你少买了东西！”一个声音叫道。

我正想把这句话打进故事里，然后才想起来，那是妈妈的声音。

我重重地喘着气，从打字机前扭过身去。妈妈站在门口，靠在门上，烦躁地摇着头。

“你还得到商店去一趟，”她说，“你忘了买意大利面包，晚饭没面包不成啊！”

“啊，对不起！”我答道。

我回头看看自己的故事，不由得叹了口气。我写得顺手，正高兴着呢。

去趟商店，然后回来马上接着写，我心想。

我从妈妈手里拿了些钱，去车道上扶起了自行车。

一边骑着车往镇里去，我一边在心里想着我的肉团妖怪的故事。这是我所有故事中写得最棒的一个，我心里想道。

真想快点读给阿历克斯听。

人行道上传来脚步声，一个西装革履的男人从我身边跑过，像一团黑影。他跑得真快，我连他的脸都没看清。

他搞什么鬼？我好奇怪，穿得这么整齐来跑步？

“哇！”一辆蓝色的旅行车呼啸着向我冲来，害得我只好猛地一拧车把，冲向马路牙子。方向盘后面的女人拼命地按响喇叭，疯了似的朝我挥手。车拐了个弯，轮胎发出吱吱尖叫。

“今天大家好像都很赶时间啊！”我自言自语。

接着，我听到了一声尖叫，男人的叫声。

我骑得更快了，再过一个街区就是镇中心，杰克食杂店就在街角，已经可以看到门口的雨棚了。

有两个人从商店门口跑过，用尽力气地狂奔，一边跑一边挥手。

又是一声尖叫，我紧急刹车。

“小心！”有人在惊呼。

“快跑！叫警察！”

两个小孩从我身边跑过，其中一个边跑边哭。

欢迎来到
Goosebumps
鸡皮疙瘩
俱乐部

神探赛斯流落到一个奇怪的小岛，发现自己意外地卷入一场神秘的魔神战争之中，他要何去何从呢？决定权掌握在各位亲爱的小读者手中，这将是赛斯最后的冒险……

在解决了一系列案件之后，神探赛斯陷入事业的低潮。他感到无所事事，于是，他打算到直布罗陀海峡去做一番考古历险。

赛斯独自驾驶一艘帆船驶向直布罗陀海峡。没想到原本平静的海面上，忽然形成了一个巨大的旋涡。任凭赛斯有天大的本事，也无法对抗如此诡异的自然现象，他和小船一起，被卷进了旋涡之中，便昏过去了……

也不知道过了多久，赛斯迷迷糊糊地睁开了眼睛，发现自己躺在一张床铺上。床铺还算柔软舒服，昏暗的屋里点着小灯，房间里没有主人。

正在纳闷的时候，赛斯忽然觉得身下的床铺有些晃来晃去的，仔细一看，才知道是地面在震动。这是咋回事呢？赛斯感到不可思议，正在这个时候，房门猛地被推开了，只见一个穿着怪异的男人，手里拎着一把明晃晃的大斧子走了进来！

这可把赛斯给吓坏了，他立刻……

Goosebumps

赛斯所在小屋的房门猛地被推开了，只见一个穿着怪异的男人，手里拎着一把明晃晃的大斧子闯了进来！赛斯虽感错愕，但内心依然镇定自若。

A. 他一蹿而起，将那男人踹倒在地。好家伙，要让他一斧子砍上，脑袋还不搬家?!

B. 他一蹿而起，可是却没做什么，只是紧紧地靠着墙，问问那家伙要干啥！

C. 他立刻……他其实什么都没干，总觉得事情不会那么复杂吧，按理说，人家救了我，还把我放在床上，应该不想害我吧……

解析：

突发事件最能考验人的性格。你是个急性子，还是个慢性子，当然一眼就能看出来啦……

A选项——冲动。毫无疑问，你可是个很容易冲动的人，估计这个选项男孩子选得会比较多吧。你雷厉风行，不喜欢磨磨蹭蹭的，但有的时候，反应太快也可能产生误会……

B选项——理智。当然，这样的场面，谁都会被吓一跳。关注自己的性命安危，也绝对没有错。不过，即使面对突发事件，你倒还是能适度保持冷静，如果不问青红皂白就动手，也许会把事情搞得太复杂。

C选项——迟钝。呵呵，这个词可不太好听啊，不过，你确实有些慢吞吞哪。虽然你想得有道理，不过，也不能真的傻乎乎不作出任何反应啊！万一对方有啥坏念头……

写在后面的话： 不管你是急性子还是慢性子，这大都是天性使然，倒是没啥可说的。不过呢，生活中，如果性子太急，就容易惹祸，如果性子太慢，也就容易吃亏。

想一想，在生活中，有的时候别人做了某一件事，可能引发我们的不满。如果我们不由分说，就胡乱发一通脾气，那么，轻则伤害了对方的感情，重的话，还可能把事情搞糟，让友情破裂。因此，如果脾气太急，那就稍微缓和一下，给对方一个说话的机会。反过来，如果性子太慢，那麻烦就更多啦，假如一辆车子开过来，你都不着急躲一躲……那会怎么样，我就不说啦。所以，慢性子的朋友，应该节奏快一点，急性子的朋友，应该给对方说话的机会，把握这些，全在一个尺度啦！

顺便说一句，我也是个急脾气，如果斧子冲我来，我八成也会动手啦……

赛斯机密档案

姓名： 赛斯
年龄： 4×9÷3-6+8+10
基因： 变异基因
职业： 私家侦探
性格特点： 冷静、冷酷、冷峻
特殊喜好： 凌晨三点在路灯下看“鸡皮疙瘩”
被人崇拜程度： orz

本测试题由著名心理咨询师、原中央教育科学研究所心理研究员孙靖（笔名：艾西恩）设计，插图由著名插画家马冰峰绘画。

情报站

1995年　“鸡皮疙瘩系列丛书”改编成电视剧，在美国连续四年收视率第一

1995年　“鸡皮疙瘩主题乐园”落户美国迪斯尼乐园

1995年　R.L.斯坦获选美国《人物》周刊年度最有魅力人物

2003年　“鸡皮疙瘩系列丛书”被吉尼斯世界纪录大全评定为销量最大的儿童系列图书

2007年　R.L.斯坦获得美国惊险小说作家最高奖——银弹奖

2008年　“鸡皮疙瘩系列丛书”电影改编版权被美国哥伦比亚电影集团公司买断并将翻拍成好莱坞大片

桂图登字:20－2008－017

图书在版编目（CIP）数据

惊魂街惊魂·面具夺魂Ⅱ/(美）斯坦（Stine，R.L.）著；叶芊译. —南宁：接力出版社，2010.1
(鸡皮疙瘩系列丛书：升级版)
书名原文：A Shocker on Shock Street·The Haunted Mask Ⅱ
ISBN 978-7-5448-1071-5

Ⅰ.①惊…　Ⅱ.①斯…②叶…　Ⅲ.儿童文学-长篇小说-作品集-美国-现代　Ⅳ.I712.84

中国版本图书馆CIP数据核字（2009）第219982号

总策划：白　冰　黄　俭　黄集伟　郭树坤　　总校译：覃学岚
责任编辑：王　崇　陈　邕　冯海燕　张蓓蓓　吕瑶瑶
美术编辑：郭树坤　卢　强
责任校对：刘会乔　　责任监印：刘　签
版权联络：朱晓卉　　媒介主理：常晓武　马　婕

社长：黄　俭　　总编辑：白　冰
出版发行：接力出版社
社址：广西南宁市园湖南路9号　　邮编：530022
电话：0771-5863339（发行部）　　010-65545240（发行部）
传真：0771-5863291（发行部）　　010-65545210（发行部）
网址：http://www.jielibeijing.com　http://www.jielibook.com
E-mail:jielipub@public.nn.gx.cn

经销：新华书店

印制：北京鑫丰华彩印有限公司
开本：850毫米×1168毫米　1/32
印张：9.25　　字数：165千字
版次：2010年1月第1版　　印次：2010年11月第2次印刷
印数：40 001—48 000册
定价：18.00 元